YOUTH 经|典|译|丛 01
人猿泰山

泰山出世
Tarzan of the Apes

［美］埃德加·伯勒斯／著
毕可生 孙亚英／译

中国青年出版社

(京) 新登字083号

图书在版编目（CIP）数据

泰山出世/(美) 伯勒斯 (Burroughs, E.R.) 著；毕可生，孙亚英译.
—北京：中国青年出版社，2013.7
（人猿泰山系列）
书名原文：Tarzan of the Apes
ISBN 978-7-5153-1808-0

Ⅰ.①泰… Ⅱ.①伯…②毕…③孙… Ⅲ.①儿童文学—长篇小说—美国—现代 Ⅳ.①I712.84

中国版本图书馆CIP数据核字（2013）第172507号

责任编辑：杜惠玲　谢肇文
封面设计：瞿中华

出版发行：中国青年出版社
社　　址：北京东四十二条21号
邮　　编：100708
网　　址：www.cyp.com.cn
编辑电话：010-57350504
门市电话：010-57350370、
印　　刷：三河市君旺印务有限公司
经　　销：新华书店

开　　本：620×920　1/16
印　　张：19
插　　页：1
字　　数：200千字
版　　次：2015年5月北京第1版
印　　次：2015年5月河北第1次印刷
定　　价：26.00元

本图书如有印装质量问题，请凭购书发票与质检部联系调换
联系电话：010-57350337

序 言
那狂野浓密的绿色丛林里

应锦襄

在那狂野而又丰盛的非洲大地上,在那浓密的绿色丛林里,在辉煌的落日光辉中,有这么一个身影。他,高大伟岸,敏捷强壮,跑起来,他追上斑马;搏斗起来,他征服雄狮;他要攀登,轻易可上百仞悬崖,他要跳荡,一下子可以纵跃到几十米外;更威武的是,只要他一声长啸,狮群象群就像滚浪一样地扫过原野大地,来到他的足下,为他效劳。

这就是泰山,他不是外星人,不是机器人,也不是得到过什么魔法训练的异人。他是一个实实在在,和我们一样在地球生存环境中成长和生活的人。只是他从小失落蛮荒,在非洲的兽群中长大,练就了现代人难以达到的在自然中生活的各种本领,也从没有接触过人类社会中的各种违背自然的丑恶法则。他公正和平地与各种兽类和谐地生活在一起。自然世界,也有天然的不公,有天然的以强凌弱,有天然的残杀。这个与众不同的人类,他却有天然的正义之心、公正之心、良善之心、悲悯之心。他对它们的关爱和帮助乃至救援使得兽群本能地理解他是朋友。这就是他那美丽而充满了生命的丛林王国。

然而,来到这美丽而丰饶的大地上的其他人类,却和泰山全不一样,他们大部分是怀着贪婪之心来掠夺的。和这掠夺在一起的,一定有可怕的血腥杀戮。他们是生命残害者。泰山却永远以守护神的姿态站在兽群的一面。

这些人带来的人类社会的法则绝不同于泰山的世界,与他们的斗争也绝不同于在自然界主持公道。有阴谋,有操纵,有不可预料的危机,有日益更新的变局……与这些复杂现象斗争,这真不是泰山凭个人的神勇智慧所能完成的。但这些从不能阻止泰山那颗公道、正义的心。艰难只给他以更大的决心和更大的勇气。在属于泰山的世界中,泰山终能有他的谋略和战斗伙伴的协助而取胜。

这种完全属于现实世界而又充满浪漫色彩的战斗,它真正展示了人类的力量。不必依靠那些神通和魔法,不必借助于不可知的力量或未知的世界,在这现实世界中,在这脚踩着的大地上——人,自己就能成为不可战胜的力量。没有因科幻武器或神奇力量获胜而感到的空虚与失落,人才有永远活在这真实的大地上的自豪和信心。

在我的少年时期,泰山使我同代的青少年如痴如狂、废寝忘食地读这本书。它的背景这样吸引我们:在我们眼前,展开了广阔的非洲原野,那充满人情(甚至包含语言)的猛兽世界,神秘蒙昧的原始文化……引起我们多少美丽的遐想。书中的情节也这样有悬念:复杂的纠结了各种磨难的经历,总是出其不意地否定了你的预测,让你重作考量。更重要的,它总激起我们对天真烂漫、返璞归真、坚持正义、卫护公平、热爱自由的泰山这个文学形象的无限仰慕。它使我们相信,真实的人才是真正有力量的!

我深信,这仍然是今天我们的少年读者的共同感受。

猿语(泰山的母语)——中文对照表

动 物

巴拉——鹿

勃勒冈尼——大猩猩

布吐——犀牛

旦格——鬣狗

杜罗——河马

戈格——水牛

豪尔塔——野猪

吉姆拉——鳄鱼

库图——老鹰

努玛——雄狮

派可——斑马

盘巴——老鼠

沙保——母狮

吞特——大象

希斯塔——蛇

希塔——花斑豹

(　　　　)——(　　　　)
(　　　　)——(　　　　)

自　然

戈罗——月亮

库都——太阳

(　　　　)——(　　　　)
(　　　　)——(　　　　)

人

戈曼更——黑人

塔曼戈——白人

(　　　　)——(　　　　)
(　　　　)——(　　　　)

你还能找出多少来呢？

目 录

一　海上暴动 …………………………………… 001
二　荒野之家 …………………………………… 012
三　生死之间 …………………………………… 022
四　大猿群 ……………………………………… 030
五　小白猿 ……………………………………… 038
六　森林中的战争 ……………………………… 046
七　知识的光明 ………………………………… 053
八　树顶猎人 …………………………………… 066
九　人和人 ……………………………………… 072
十　可怕的幽灵 ………………………………… 084
十一　猿之王 …………………………………… 090
十二　人的理性 ………………………………… 102
十三　自己的同类 ……………………………… 110
十四　在丛林中的命运 ………………………… 125
十五　丛林之神 ………………………………… 136
十六　"真不可思议" …………………………… 142
十七　埋葬与埋藏 ……………………………… 153

十八	丛林里的失陷	164
十九	原始的召唤	177
二十	遗传的天性	188
二十一	黑人村子里	203
二十二	搜索队	210
二十三	兄弟情	222
二十四	丢失财宝	234
二十五	初到人间	243
二十六	深入"文明"	256
二十七	英雄再现	268
二十八	未完的结局	283

一
海上暴动

　　下面这个近乎离奇而又非常引人入胜的故事,是我的一个朋友讲给我听的。

　　说起我这位朋友,也可以说是机缘巧合。本来他也可以不给我讲这段故事的。只是因为一个偶然的机会,使他谈起了这个话题。这个故事之所以让我感兴趣,不外两个原因:一是故事发生的时代,足以引起我发思古之幽情;二是我好奇地想弄清楚,这个故事到底是不是真实的。

　　那位讲故事的朋友,性格乐观自信。在他讲述的过程中,他逐渐发现我对他的故事似乎半信半疑,于是他费力地找来了一堆文字证明:一部分是故事的男主人公遗留下来的日记,这已经是一部发霉的手稿了;另一部分是英国殖民部的文档,连纸张都陈旧得发脆了,他想用这些东西来证明他的话不是凭空捏造的。

　　故事里的事,都不是我亲眼所见,我不能武断地说它都是事实;但有许多主要情节,我相信它确有其事。因为朋友给我讲述的故事与男主人公的日记以及殖民部档案的记载,都丝丝入扣。以此为依据,我才会把它写出来。即便您仍觉得它缺少真实性,但至少您会觉得这个故事不但极其奇特,而且趣味横生。

从殖民部档案和那位男士的日记中，可以看出他是一位英国贵族，我不便透露他的真实姓名，免得日后他的亲人在细节上跟我纠缠不休。所以，我就称他为约翰·克莱顿·格雷斯托克勋爵吧！

当年，约翰·克莱顿被委派到英属非洲西海岸的殖民地，是为了去完成一项艰巨的调查任务。据称那里许多思想单纯的土著居民被欧洲某国雇佣，组成了土著军队，专门到刚果和阿鲁维米河未开化的部落去，强制征集那里的象牙和橡胶。

英政府殖民部已多次听到殖民地的土著诉苦，说人贩子用各种各样天花乱坠的许诺拐走了他们很多年轻人，这些人几乎都有去无回。而在非洲的英国人向政府汇报得更为详细。他们说，这些可怜的黑人被拐走后实际上都做了奴隶。当原定的合同期满后，雇佣这些黑人的某国官员利用他们的无知，骗他们说还有好几年才能服役期满。等到下一次到期时，官员又推说由于其他什么理由，还要再等几年，等等。如此循环往复，这些土著年轻人几乎成了无期徒刑犯。

正源于此，英国殖民部才委派约翰·克莱顿到英属西非，去秘密调查欧洲某国官员对英国属地黑人的不合法行为。但事实上，约翰·克莱顿并没能到达目的地，也没能进行调查。这是怎么回事？他遭遇到了什么？请读者耐心往下读，我会细细讲来。

克莱顿是典型的英国人，他无论从精神、体质或道德风范上，都像一个将军，仿佛曾上千次从战场上胜利凯旋，颇似一位曾创造过崇高业绩的英雄。他拥有强壮魁梧的体魄并充盈着旺盛的阳刚之气。他面貌俊朗，英气逼人，有一对浅黑色的眼睛，透出天惠聪颖；风度翩翩，身材既高大又健壮，使人感到他有一种多年在军队里训练有素的气质。他在政治上雄心勃勃，所以才从军队转业到殖民部。在我们的故事中出现时，他正年轻，具备开创一番事业的素质。英政府经过郑重选择，才把这个为女王服务的重要使命委任于他。

克莱顿接受这个使命既高兴又忐忑不安。这次提升对他来说，既是对他过去艰苦努力、工作卓有成效的奖励，同时也是他今后晋升的一个起点；但另一方面，他刚刚和自己的心上人爱丽丝·卢瑟福结婚不到三个月。这次任务，他必须把他年轻美丽的妻子带到危机四伏而又荒凉的热带非洲去，这当然使他忧心忡忡，犹豫不决。

为了爱妻，他几乎决定要辞谢这次任命了。但爱丽丝却不同意，她坚持劝他应该接受，并且坚持要一起过去，夫妻必须祸福与共。这一期间，自然有来自于双方的母亲啦、兄弟姐妹啦、远近的亲戚朋友啦七嘴八舌的议论与建议，但这些争辩都得不出结论，反而让人无所适从。

终于在公元1885年5月的一个风和日丽的早上，格雷斯托克爵士和夫人，从多佛尔港登船起航，踏上了他们前往非洲的旅程。

一个月后，格雷斯托克爵士夫妇到了西非的弗里敦城。在那里他们租乘了一艘名叫"福勿尔达"的帆船，它将驶向他们最后的目的地。然而当他们上了这艘船之后，格雷斯托克爵士和他的夫人爱丽丝女士，却永远地从人们的视线中消失了，从此消息杳然。

在他们的船离开弗里敦港两个月以后，六艘英国战舰曾经在南大西洋搜索过，寻找他们乘坐的帆船的踪迹。结果，没过多久这些人就在圣赫勒拿岛海边发现了那艘帆船的残骸。这件事使世人都相信船上的一切和"福勿尔达"号一起沉入海底了。因此，搜索作业开始后没多久就停止了。尽管那些失踪者的亲人在以后很长的一段时间里，在心灵深处还在盼望着奇迹出现，望眼欲穿地等着亲人归来，但是最后他们还是失望了。

"福勿尔达"是一艘一百多吨的三桅船。这种船是在非洲南大西洋沿岸进行商贸运输的常见船只。这类船上的船员里，常常混杂了一些海盗以及各种民族、各个国家的死刑逃犯和杀人越货的人渣。"福勿尔达"号自然也不例外。船上的头头们也都是一些黑心的家伙，他们讨厌船员，船员也憎恨他们。"福勿尔达"号的船长是一个既有本事又对手下人凶狠残暴的恶汉。他经常用两种东西来对付他的船员：绞缆绳的铁棍和左轮手枪。要不然他拼凑起来的这群乌合之众就会玩命胡来。就在离开弗里敦港的第二天，克莱顿和他年轻的夫人就亲眼目睹了甲板上凶残的一幕，这是他们原先以为只有在航海故事书里才可能看到的事。

当时的事是这么发生的：有两名水手正伏在甲板上进行擦洗，大副在执勤，船长停下来和约翰·克莱顿以及爱丽丝女士聊天。聊天的几位背对着擦船的水手，水手越擦越挨近几位聊天的人。当其中一个水手正好擦到船长身后，船长恰巧转身打算离开。船长并没看见背后的水手，于是他被水手绊倒在甲板上，仰面朝天摔了下去，弄翻了水桶，溅了一身脏水。在旁观的人看来，这个场景是挺可笑的。船长气得满脸通红地跳了起来，气势汹汹地骂不绝口,照水手的脸上就是一拳,把他打倒在甲板上。

那个水手又老又矮,船长这一拳他当然吃不消了。另一个水手却正在壮年,满脸生着蓬松的大胡子,长得膀大腰圆。他看到同伴被船长无端打倒在地,立刻阴沉着脸,嘴里咕噜着什么跳了过来,一拳就把船长打得跪在了甲板上。此时,船长的脸一下子从紫红变成了苍白,因为他已经清楚地预感到这就是叛乱的起点!叛乱他当然是经历过的,而且也被他制服过。因此他很沉着,还不等站起来,就抽出了左轮手枪,向着站在面前的那个大黑塔似的水手开了枪。没想到约翰·克莱顿的动作比他更快:就在船长亮枪的一瞬间,爵士早抢在他前面,把他的手向下打了一下,这样才使子弹只打在了水手的大腿上。

事后,船长和克莱顿吵了几句。克莱顿明确地告诉船长,他讨厌船长这样粗野地对待水手,只要他和爱丽丝女士仍在船上,就绝不支持再发生这类事情。船长几乎要大发雷霆,但是他继而想到,也许忍一忍更好。其实他倒不在乎得罪一个英国的普通官员,但是对于女王陛下的强大海军,他还是不敢肆无忌惮。因为他这条船也归海军管辖,海军对他有着行使惩治的权力。因此,他一面阴沉着面孔,一面骂骂咧咧地向船尾走去。

两个水手从甲板上爬起来,年老的水手帮着受伤的同伴站起身来。那个黑大个——水手都管他叫黑迈克,他虽然能站起来,但迈步却很艰难。黑迈克走过来向克莱顿道了谢,用语虽然很粗俗,但听得出他的谢意是很真诚的。他的话还没说完,两个人就彼此搀扶着向前舱走去。

克莱顿夫妇有好几天再没看到那个黑大个,船长也很少露面，即使碰见了也只是咕噜一声。在官舱里吃饭也很少见到船长，也许他总是在这个时候值班吧！船上其他的头头也都是些粗人，比他们管辖的水手好不了多少。他们也不愿意与文质彬彬的绅士和女士交往。所以，克莱顿夫妇倒也有了许多自由自在的时间。

表面上看，船上的一切似乎都依然如故地风平浪静。但是，在水手之间却似乎酝酿着一种不祥的气氛，像暴风雨来之前的平静，总让人觉得有一种说不出来的危险正在逼近。就在黑迈克受伤的第二天，克莱顿在甲板上又看见四个水手把一个被打得几乎断了气的人抬到舱下面去。四个水手脸上阴沉沉的，大副手里提着一条绞缆索的粗铁棍，怒气冲冲地站在那里看着他们。克莱顿什么也没问，其实他也无须多问什么了。正因为他目睹了这两件事，所以第二天，当一艘英国战舰庞大的影子出现在海平面上时，他心里马上浮出了一个念头，想要求船长把他和年轻的妻子送到军舰上去。因为他的恐惧与日俱增，如果继续留在这艘又小又充满敌意的船上，结果会怎么样就很难说了。

到了中午，当两艘船已经挨近到连说话都可以听到的距离时，克莱顿的心里却又犹豫起来：如果他告诉"福勿尔达"的船长他们要调换船只的话，这个要求显然是非常可笑的。而且，他应该以什么理由来告诉对方舰船的舰长，他要返回他刚刚离开的地方？如果他告诉他们只是因为这艘小船上发生两件打人的事，那么，舰上的人会认为他是个胆小鬼而窃笑不已。

约翰·克莱顿·格雷斯托克爵士终于克制了自己，没有把自己的想法提出来。到了下午，当他看到战舰的轮廓在远方模糊起来的时候,他已经开始后悔了。就在一个多小时前,自己就为了那么一点点自尊和虚荣,放弃了对新婚妻子安全的保护。尽管他对渐渐迫近的危险是什么还无法确定,但有一点却是完全能肯定的,那就是在这只小船上一定会发生危险的事。本来唾手可得的安全,现在却丧失了,完全无法挽回了。

下午三四点钟,克莱顿和夫人站在船边,遥望着逐渐消失的战舰的影子,几天前被船长打过的那个老水手,擦着船边的铜栏杆向他们走过来。当水手走到他们跟前时,他低声用半通不通的英语对他们说:"请小心,先生!船上有一个计谋。请记着我的话,千万小心!"

克莱顿问道:"您这是什么意思?好心人!"

"您没看见船上不断发生的事吗?您没听见那个鬼船长和他手下那几个头头向水手们开枪吗?昨天崩死了两个,今天又崩了三个。黑迈克绝不容许他们再乱来。千万别对别人说我跟您谈过这些,先生!"

"您的意思是说水手要造反吗?我的朋友。"

老水手轻声地喊起来:"反叛!反叛!他们想杀……先生,小心,别说出去。"

"什么时候?"

"快了,先生!就快了,我还说不准时间。我……我说得已经太多了,可您是个好人,我警告您,您别多嘴,要是听到枪响千万待在舱里,别出来!"

老水手继续不停地擦着铜栏杆,警惕地向周围看看,用结结巴巴的英语向爵士说:"我要说的就是这些啦!只是要您别多嘴,不然他们会把子弹打进您的肋骨。千万,千万……听我的话,先生!"他边擦着边慢慢地向前面去了。

克莱顿带着爱丽丝回到船舱说:"这可真是见鬼的'好'消息!爱丽丝。"

爱丽丝说:"你应该立刻去警告船长,约翰!麻烦也许还可以被制止。"

"应该倒是应该,但是为咱们自己着想,我认为还是听他的劝,别多嘴的好。无论他们怎么干,他们会放过我们的,因为我救过黑迈克。可是他们一旦发现我们出卖了他们,那他们就不会放过我们啦!"

"你只有一种责任,约翰!就是维护当局的利益。如果你不警告船长,就等于你帮他们策划和进行这次反叛了。"

"你还是没明白,亲爱的,我正在考虑的第一个重要责任是你而不是别的。船长他们是自找倒霉,遭遇什么事都是活该,我为什么要拿你的安危去作一次不知道结果的尝试呢?亲爱的,你并不知道,要是水手们掌握了这艘船,他们这一伙人可不是好惹的。"

"责任就是责任,约翰。无论怎么说,这一点是不能改变的。要是我对丈夫的逃避负有一定责任,那我就不配做一个英国勋爵的妻子。我也预感到我们面临危险,但是我愿意和你一道去面对它。"

爵士看着妻子微笑着说:"那就照你说的办吧!爱丽丝。"

爵士思索了一会儿,又说:"可是也许我们是自找麻烦,尽管我很讨厌船上发生的事,但也许结果不至于像老水手说的那么坏。反叛这种事是上个世纪海洋中常见的事，现在是1885年啦！是太平年月，可能只是老水手一种不满的愿望，未必就是事实。你看，船长这会儿正朝他的舱房走去，要我向他这个野蛮人提出警告，这可真让我倒胃口。"他尽管这样说着，还是漫不经心地向船长的方向走去，然后敲了敲船长的房门。

船长用他的粗嗓子大声说："进来！"

克莱顿走进去。刚带好门，船长就不客气地问道："干吗？"

"我来告诉你我今天听到的一些事情，我觉得也许没什么了不起，但最好还是有个防备。简单地说，我听到水手们在谈论反叛和谋杀。"

"撒谎！"船长大吼起来，"要是你再胆敢干涉船上的秩序纪律，把手伸得太长，管你不该管的事，那就是自找倒霉。"船长大发雷霆，脸都气紫了，他一面在克莱顿的脸前晃着拳头，一面把另一个拳头砸到桌子上，提高了嗓音说："我不管你是什么勋爵，还是别的什么东西，我是这条船的船长，你少管闲事！"格雷斯托克只管用两眼泰然冷静地瞪着这个暴跳如雷的船长，不动声色慢慢吞吞地说："船长老爷，请恕我直言，我说你实在是头蠢驴。"说完了，他就转身像往常一样，若无其事地扬长而去。可以想象他的这种姿态，定会引起船长这类教养不高、脾气火爆的人事后一顿乱骂乱叫。所以，即使克莱顿想要与船长和解，使他对自己的粗暴态度有一点后悔，现在也毫无可能了。由此他们为共同的利益而合作的唯一机会也已失去。

"喂，爱丽丝，"克莱顿回到妻子身边时说，"我不去说就好了，这家伙真不知好歹。他像疯狗一样向我扑来。让他跟他的船

人猿泰山·泰山出世　009

见鬼去吧！在我们脱离危险以前，还是关心关心我们自己吧！我觉得第一要紧的是快回房舱去。"可是他们发现房舱已经被人翻过了，衣服、箱子和袋子搬得乱七八糟，连他们的床也被人翻过了。

"显然，有人比我们更需要我们的某件东西。"克莱顿说，"爱丽丝，快检查一下我们丢了什么！"

经过一番忙碌查找，发现丢失的只是他们为自己留下备用的两把左轮手枪和一些补充用的弹药。

"这些可是我最需要的，却偏偏被拿走了。"克莱顿说道，"显然是他们拿去自己用了。这就很危险啦！"

他的妻子有点着急地说："那我们可怎么办，约翰？或者你是对的，在这种情况下，我们最好的选择是保持中立。如果船长他们这些人制服了反叛，那倒没有什么，我们用不着害怕；要是反叛者成功了，我们的一线希望就完全取决于我们是不是妨碍或反对过他们了。"

"爱丽丝，你说得真对，我们只好当中间派了。"

就在克莱顿和他的妻子开始整理他们房舱的时候，他俩几乎同时发现，房门底下露出一个纸角。克莱顿正要弯身去捡时，让他吃惊的是这张纸又被门外的什么人完全塞了进来。克莱顿立刻轻轻走到门边，准备抓住把手把门打开看看究竟是谁，他的手却被妻子拦住了。她悄声地说："约翰，不要出去，他们不想要我们看见，我们就不要去看，别忘了我们的中间立场。"

克莱顿听了笑了笑，就把手放下了。直到那张纸完全被塞进来不动了，他才过去把它捡起来。这是一张脏兮兮的被草草折起来的白纸,上面还歪七扭八地写着一些文句不通的话。勉强猜得出那上面的大意是说:不许去报告丢枪的事,并且重复了一遍老水手的话,还警告说——不要找死!

"我想我们大概不会有事,"克莱顿看完了有点沮丧地苦笑着说,"看来,我们只好就这样待着,听天由命了。"

二
荒野之家

并没有让克莱顿等多久，要发生的事便终于发生了。就在第二天早上，他按习惯仍在早饭前到甲板上去散步。刚走出上舱口，他就听到了一声枪响，然后又是一声，再是一声。他眼前看到的景象肯定了他最担心的事。与一小撮头头对立的是全体船员，带头人就是黑迈克。

船上头头们的第一排射击打出去以后，水手们立刻四散逃开。他们纷纷寻找掩蔽的地方，抢占桅杆后面、舵轮室和房舱等处的有利地形，向那五个令水手憎恨的头头开枪。已经有两名水手倒在了船长的左轮枪口下，躺在了战斗的双方中间。大副也被击中，向前扑倒。就在此时，黑迈克高喊了一声，下令水手向其余四个头头进攻。水手们想尽办法也只搜集到了六支枪，所以，他们大多数人只好用船钩、长短柄斧子和撬棍等当武器。而此时船长的左轮子弹刚好打光，正在重新上膛。不巧二副的枪也卡了壳，这时实际上只剩两支枪在对付水手。可是水手们刚向前冲了几步，枪弹又重新向他们猛射过来。双方嘴里都不断地咒骂、叫喊，态度疯狂，夹杂着枪弹的呼啸声、炸响声，以及受伤者的呻吟声，好像把"福勿尔达"号的甲板变成了一座疯人院。

就在头头们又反过来向水手们逼近了五六步的时候,不知从哪里跳出来一个强壮的黑人,冷不防一斧子,就把船长从额头直劈到下巴。接着剩下的几个头头,被来自各个方向的六七枪,打得死的死伤的伤。

"福勿尔达"号上的哗变短暂而恐怖。整个过程约翰·格雷斯托克都是站在升降口那儿,含着他的烟斗,静观事件的发展,就好像在看一场平常的板球比赛那样镇定自若。直到头头们都被打倒了,他才想起该到舱里去看看妻子,免得被哪个水手发现她一个人在下面。他虽然表面很平静,但内心却既担心又紧张。他很明白如果他和妻子落进这些无知而又相当粗野的人手中,他们的命运将是很悲惨的。

当他转身要走下梯子的时候,他才忽然发现妻子就站在他身边。

"爱丽丝!你站在这儿有多久了?"

她回答说:"从开始我就在这儿了。真可怕!真可怕啊!约翰,我们在这些人手里还能希望什么呢?"

"我希望早饭!"他勇敢地微笑着回答说,以缓和她的恐慌。

"至少我要跟他们说,我们期望一种合理的待遇,走,跟我一块去,爱丽丝。"他又说道。

这时候船上的人都正围着死了和受伤的头头们,毫无同情心地把他们一股脑儿从船边扔进了海里。对于他们自己的死者和伤者,也毫无怜惜地作了同样的处理。

就在这时,一个水手忽然看见了正在走过来的克莱顿夫妇。他嘴里高喊着:"嘿!这还有俩喂鱼的!"挥斧向他们冲去。

但是，黑迈克比他还快。那个水手还没跑上五六步，一颗子弹从后面把他打倒在地。黑迈克大吼一声，指着克莱顿夫妇对其余的人说：

"这是我的朋友，不许动他们，你们懂不懂？我现在是船长，都得听我的！"接着他又对克莱顿说：

"你们自己管好自己吧！没人敢动你们。"说着他又威胁地向他自己的人扫了一眼。

从此以后，克莱顿夫妇只好规规矩矩地照黑迈克的话办了。他们只在自己的房舱里，很少见到水手们，也不知道他们在计划着什么。偶尔他们也隐隐听到哗变者之间的争吵。有两次在持枪者之间还发生过枪战，但黑迈克对于这伙人来讲毕竟是一个很有威信的领袖，他们都老实地服从他的管束。

船上的头头们被杀之后的第五天，在瞭望塔上忽然看见了远方有一片陆地。黑迈克不知道那儿究竟是海岛还是大陆，但他向克莱顿宣布说，要是经过调查那里可以住人，他和他的妻子，连同他们的东西都将被送到岸上去。

"你们在这里要待上几个月。"黑迈克解释说，"在这期间我们将找到能泊锚的地方，就各自逃命了。然后，我一定会使你们的政府知道你们在哪儿。他们会派军舰把你们接走。我们很难把你们送到什么文明的地方。因为，在那种地方，总有一大堆麻烦等着我们，而我们中谁也没有锦囊妙计能应付这一通追查。"

克莱顿明确表示反对把他们放到这块无名之地。他说这是不人道的。他反对把他们的安全交给野兽，甚至一些野蛮人。但是他的话没有用，只能使黑迈克生气。所以，他只好努力克制自己,在当前恶劣的处境下争取一个最好的结果。

这天下午三点钟,他们的船已经靠近了一处树木葱茏的美丽海岸。对着海湾的入口处,是一个由陆地环抱的港口。黑迈克派出一只坐了不少人的小船,去探测海湾的入口,以便决定"福勿尔达"号能否安全地进港。个把小时以后,他们回来报告了可以进入海湾深处的通道水深。

四周的海岸由茂密的亚热带植物覆盖着,在这里看不到有什么居民的迹象。但是,这儿显然是可以住人的。因为,从"福勿尔达"号的甲板上,时不时可以看到许多飞鸟和动物掠过。远处连接着海岸的是一片缓坡和不高的小山,而且还有一条小河流向港湾,那里有清新充盈的河水。

直到黑暗降临,克莱顿和爱丽丝仍然站在船舷旁,扶着栏杆默默地打量着他们未来的居住地。这时,从森林的黑暗中不断传出野兽的啸叫,如狮子的低吼和偶尔几声豹子的叱叫。爱丽丝偎依着他的丈夫,为了不可预见的、即将来临的黑暗夜晚而恐惧地蜷缩成一团。

晚上,直到很晚黑迈克都在帮克莱顿夫妇做第二天登岸的准备。他们也曾试图说服黑迈克把他们带到一个靠文明社会更近的地方,以便他们更容易找到帮助。但是,黑迈克对于他们一切的请求、恐吓和许诺都无动于衷,只是说:

"我对你们实说,我是这船上唯一不愿杀死你们的人。我虽然明白这样杀人灭口可以保住我们自己的脑袋,但是,黑迈克不是忘恩负义的人。你救过我一命,我也救你们一次。但我只能做到这一步。我的人已经有点不耐烦了,如果我不赶快让你们登陆,说不定他们会改变主意,不给你们这样的机会。我会把你们所有的东西都送到岸上去。再给你们点炊具、可做帐篷的旧帆布和足够的食物,使你们可以维持到找到果子和猎物的时候。我也让你们带上你们的枪。我想这样你们可以保护自己,直到救援到来。等我能找到安全的藏身之处,我会想办法通知你们的政府。不过我也实在说不清这是什么地点,但是,我想他们总会找到你们的。"

　　黑迈克走后,他们俩留在自己的舱房里,灰溜溜地为未来的命运忧心忡忡。克莱顿既不大肯定黑迈克将来会不会通知政府,又在担心是不是明天送他们登陆的水手这会儿正在筹划如何抢劫他们。因为,他认为一旦不在黑迈克的眼皮子底下,谁都可以背地里杀害他们,而叫黑迈克一无所知。而且,不论他们是否能逃脱这一命运,他们也只能面对随之而来的巨大危险。就他自己来说,他身体强健,也许可以支持几年,可是爱丽丝又怎么办?何况还有一个小生命,就要在这片既艰苦又非常危险的原始森林里降生到世界上来了。克莱顿想到他们这种可怕而又无可奈何的处境,难免不寒而栗。但是,也许天可怜见,他现在还没法预见正隐藏在阴暗森林深处的、等待他们的恐怖现实。

　　第二天一大早,他们的许多箱笼行李就被吊上甲板,然后放进停在下面的一只小船上,准备运到岸上去,里面有多种生活用品。因为,克莱顿原来就准备要在他们非洲的新家住个五年八年的。所以,他们除了带必需的日用品,也带了些豪华用品。黑迈克决定凡是克莱顿的东西一件也不留在船上。很难说这是出于同情还是进一步考虑到他自己的安危。因为毫无疑问,一位失踪的英国官员的东西,如果在一只可疑的船上被发现,不管在哪个文明港口,这都是说不清楚的事。所以,就连克莱顿的两把左轮手枪也被他坚持从水手那里要了回来。在小船上还装了一些咸肉、饼干、洋芋、豆类食品以及其他搭配的菜蔬和主粮,必备的炊具和一箱工具。黑迈克还把答应过的旧帆布也给了他们。也许是和克莱顿的心思想到一块去了,黑迈克决定亲自把他们送上岸去。当小船卸下了东西,装满了一桶桶岸上的新鲜淡水,黑迈克才最后一个坐了上去,离开他们,指挥着小船向等在远处的"福勿尔达"号驶去。

小船在平静的水面上缓缓驶向大船的时候,克莱顿和他的妻子都无言地站在那里看着它的离去。此时他们两人的心里却充满了绝望和灾难即将来临的感觉。可是他们也万万想不到,在他们的背后,在远处的小山脊上,正有一些毛茸茸的眼睛,在长长的粗眉毛下不怀好意地瞪视着他们。

当"福勿尔达"号终于驶出港口消失在远方的时候,爱丽丝突然扑到克莱顿的怀里,难以自制地爆发出一场嚎啕大哭。她曾经勇敢地面对船上哗变的危险,也曾经无畏地盘算着可怕的未来。但是现在,当绝对的孤独真的降临到他们身上时,她紧张的神经却再也难以承受了。克莱顿没有设法去阻止她的哭泣,对于长时间以来被克制的恐惧与焦虑,让它自然地发泄一下反而好一些。爱丽丝毕竟还是一个刚刚成人的女孩子,何况来日方长,她会慢慢控制自己的。

"噢!约翰,"她最后哭着说,"真可怕,我们可怎么办?我们可怎么办啊?"

"我们只有一件事能做,爱丽丝,"克莱顿就像坐在他们家里温暖舒适的小屋中一样,很快地回答说,"我们只能工作,工作才能解救我们。我们没有时间去思考,想得多了我们会发疯的。我们只有边工作边等待。我相信救援会来的,即使黑迈克未必守约,但只要政府发现'福勿尔达'号失踪,救援很快会来的。"

"但是,约翰,光是你和我,"爱丽丝抽泣着说,"那还好办,可是……"

"是的,亲爱的,"他温柔地说,"我也想到了这一点,但是,我们只能面对它,就像我们面对任何即将来临的事一样。我们要勇敢些,而且要相信我们一定有对付任何艰难困苦的能力。几万年以前,我们的祖先,就面对着和我们今天一样的问题,甚至可能就是同样的原始森林。那我们今天就来证明我们也能像他们一样战胜和征服它们。他们能做到的,我们不是也一样能做到吗?也许还能做得更好一些,因为,我们有多年先进知识的武装,而且还有科学给予我们的种种自卫、防御、生存的方法和工具。可那时他们却一无所有,一无所知,不是吗?他们能用骨头和石块做工具完成的事,亲爱的爱丽丝,我们肯定也能完成。"

"啊!约翰,我多么希望自己是个男子汉,而且有你那样的达观。可我只是个女人,我们往往是用心去感受事物,而不是用头脑去分析事物。所以,我眼前看到的事情,都是语言无法描述的恐怖和不可思议。"爱丽丝说道,"但愿你所说的都是正确的。约翰,我会尽可能成为一个勇敢的原始森林里的女人,一个配得上原始森林里男子汉的女人。"

克莱顿现在唯一的想法,就是为夜晚安排一个有荫蔽的住处，可以保护他们免于成为黑暗中四处觅食的野兽的猎物。他首先打开了箱子，取出来复枪和弹药，把他们两人都武装起来，以防他在专心工作时遭到袭击。然后，他们一起去寻找可供晚上睡觉的地方。

距岸边大约一百码的地方有一小块空地。这里没有什么树木，他们最后决定要在这里建造一所永久性的房子。但他们也同时认为最好是先暂时在树上搭一个小巢：处在这样的野兽王国里，只有那儿才是大型野兽够不到的地方。最后，克莱顿找到了四棵树，它们之间形成了一个大约八英尺见方的空间。克莱顿从别的树上砍来一些大树枝，在它们之间搭起了离地十英尺的框架。然后他用黑迈克送给他们的绳子，把那些做框架的树枝牢牢地缚在树干上。在框架上克莱顿又放了些排得紧密的小树枝，在这上面他又铺满秋海棠的大叶子。在树叶上面再铺了一块叠了好几层的大帆布。于是就搭起了一个可以住人的平台。比这个平台又高出七英尺的树枝上，他架起了一个小一点的平台作为屋顶。从这个小平台的四边，他把剩下的帆布挂起来当作墙壁。这些都干完了，一个相当温暖的小巢就已完成。在这上面他又铺了毛毯，把一些细软和食品拿了上来。

太阳西沉前，他们全力投入制作了一架梯子，以便爱丽丝爬到她的新家里去。

整整一天，在他们周围的树林里，充满被惊扰得飞来飞去的羽毛华丽的小鸟。一些叽叽不休、蹿来跳去的猴子，带着明显的兴趣和迷惘，看着这两个新来者修建他们神奇的窝巢。虽然克莱顿和他的妻子一直保持着警惕注视着四周，却始终没有看到大一些的野兽的踪迹。不过有那么两三次,他们看到他们的邻居小猴子们,从附近的小山梁上惊恐地逃窜。它们边跑边从它们的小肩膀向后方窥视的样子,已经清楚地说明,它们是在逃避隐藏在那边的什么可怕的东西。

天刚刚黑下来,克莱顿终于完成了梯子。然后从附近的清流里盛了一满盆水,两个人就爬上了比较安全的空中小屋。因为天气有点热,克莱顿就把四边的帆布撩起来搭到屋顶上。他们像土耳其人那样坐在毛毯上休息。

当月亮升起来的时候,爱丽丝忽然抓住了克莱顿的胳臂,睁大了眼瞪视着远方树林的黑影,对他低声说:

"约翰,看!那是什么?一个人吗?"

克莱顿转身向她指的方向望去。他只能从远方灰暗的背景上,看到一个直立的形象站在山脊上。但只有那么一小会儿,它似乎是在倾听什么,随后就转身消失在丛林的黑暗之中了。

"那是什么?约翰。"

"我不知道,爱丽丝,"他心情沉郁地回答说,"也许是一个又大又丑陋的人猿什么的。"

"我可真害怕啊!"爱丽丝说。

克莱顿只好把她搂在怀里,低声地说着鼓励她和爱她的话。过了一会儿,克莱顿把撩起来的帆布放下来,只留了向海滩的一面敞开着。这样他们就好像安全多了。不过这样一来,小屋里就很黑了。于是他们只好躺在地毯上,试图用睡眠去忘却一切。克莱顿躺在靠外边的地方,面对着朝海的一面。一支来复枪和一对左轮手枪都放在手边。

他们睡了没有多大一会儿，就被后面丛林里豹子可怕的尖叫给吵醒了。他们觉得它越来越近地走到他们的树下，甚至可以听到它在下面呼噜噜的呼吸声。大约有一个多小时，它就在下面用爪子抓小屋的树干，喷鼻子，但是最后它咆哮着穿过海岸走了。当它经过海岸时，克莱顿在明亮的月光下清楚地看到它的身影。这是一只不小的漂亮的野兽，克莱顿还从来没见过这么大的一只花豹。漫漫长夜，他们只能时不时地睡上一小会儿。因为原始森林里的夜晚充满了各种动物的喧闹声，使他们的神经紧张到了极点。一夜之间，他们几乎有上百次被动物的尖叫或是树下徘徊的声音惊醒。

三
生死之间

长夜漫漫,好容易天亮了。拂晓虽然没有给他们带来多少清新的感觉,但当太阳从东方爬上来的时候,至少让他们产生了一种强烈的得救感。

他们匆匆吃完只有一点咸肉、咖啡和饼干的早餐之后,克莱顿立刻就开始动手造他们的房子了。他们已经体会到,如果没有四堵坚固的围墙有效地抵挡野兽,他们就别想在晚上得到安全和宁静。

这项工作很艰巨,即使他想盖的不过是一间小屋,至少也得花大半个月的时间。他用直径大约只有六英寸的小圆木当墙;再用从黑土层下几英尺挖到的黏土,把缝填塞起来。

在墙的一角,他造起了一座壁炉,是用黏土和海边的石子垒起来的。当房子的四面墙全部完工之后,他又在外墙墙面抹了一层厚约四英寸的黏土层。窗子上用一英寸粗的小树枝横竖地编插起来,使它形成了牢固的格子栅栏,足以抵挡最有力气的野兽的袭击。这样一来小屋里不但阳光充足、空气流通,也具备了安全的保障。

A 字形的屋顶是由小树枝密密地并排搭起来的。在这上面再盖上杂草和棕榈叶,最后又抹上了一层黏土。

门是他用盛东西的包装箱拆下来的木板制成的。按着木板的纹理走向,一块连着一块地钉成了一扇约三英寸厚的结实的门板。当他俩看着这样一块又厚又笨的大家伙时,不禁哈哈大笑起来。

接着的困难,是如何把这扇笨重的门板装到门框上去。经过两天的琢磨和努力,他终于弄出了两个硬木的门轴座,这样门装上以后,打开和关起来都很容易了。

他们一装好了房顶之后,立刻就搬了进去,把箱笼杂物暂时都堆在门口旁边,到了晚上,用来堵在门后。这样他们就有了一个更加安全的居室了。至于内墙的"粉刷"(用黏泥抹光)以及其他一些修补都是在他们搬进去以后陆续加工完成的。

造一张床、几把椅子、一张桌子和各种架子,相对说来比造房子简单。到了第二个月底,这些活儿就都完成了。但是,由于老是对野兽的袭击提心吊胆,加上不断增加的孤寂感,他们的生活过得并不舒适和愉快。

到了夜晚,野兽们总在他们的小屋周边咆哮和吼叫。不过,这种反复不断的吵闹也会使人逐渐习以为常。所以没有多久,他们也就不再去管它们了,甚至整夜都能睡得很香甜。

有三次他们又看到了第一天晚上看见的那个人形动物。但是,距离都很远,没有一次能近得足以辨认它究竟是"人"还是野兽。

美丽的小鸟和小猴子们尽管从来没有见过人类,现在已经和它们的这两个新相识混熟了。它们一开始的惊吓过去之后,由于好奇心或求食心的驱使，这些树林、丛林和平原上的野生动物越来越和他们接近起来。所以，在头一个月内，已经有几种鸟儿敢于从克莱顿友好的手上叼东西吃了。

有一天下午，正当克莱顿想给他们的小屋加盖点什么的时候，几个他们熟悉的小猴子朋友发出一阵吱吱喳喳的惊叫声。它们一面穿过树林的边沿，一面惊恐地不时向背后看着，逃到了克莱顿的身边，尖声地向他叫着，好像警告他，有什么危险已经临近似的。

最后，克莱顿终于看清了来了个什么。原来使小猴子们非常害怕的是一种人形的大猿。这就是克莱顿不只一次地一晃见过的那个家伙。它突然从树林中钻了出来，以半直立的姿势，时不时地轮换着用一个拳头支着地面向前走来。它是一只大人猿！它从喉头发出深沉的咆哮，还有时夹着一两次汪汪的叫声。克莱顿这时距离小屋相当远，正在伐一棵很合意的大树，用于正在进行的建筑。几个月来没有在白天遇到什么凶猛的野兽，他已经变得大意起来。他把来复枪和左轮手枪都放在小屋里了。这时，这只人猿正踏倒脚旁的灌木直接向他走来。而且，正好斜插挡住了他逃回小屋的去路，这一情况不禁让他毛骨悚然。他明白，手中只有一把斧头，去对付这么一个大家伙，他成功的机会是很小的。噢，上帝！还有爱丽丝，她可怎么办？

不过眼前还有一点绕到小屋跟前去的机会。他转身向小屋跑去，并喊着警告妻子，如果他被这个野兽截断了退路，叫她赶快进屋去并把门关好。格雷斯托克夫人这时正坐在离小屋不远的地方。当她听见他的呼喊，抬头一看，正好看见这只可怕的动

大猿咆哮了一声,扭住了克莱顿。

物以难以置信的敏捷向克莱顿扑去。

她惊叫了一声,跳起来就向小屋奔去。她刚一进门,向后看了一眼,正看见她的克莱顿被那只野兽拦住了去路。他只好站在那里,两手握着斧头,准备向那个野兽做最后一击。这景象吓得她魂飞天外。

"爱丽丝,快进屋去把门关起来!我会用斧头跟这个东西拼命的,快!"克莱顿喊着说。但是,他心里很明白,他面临生死关头,而她也是如此。

这只大猿是个大家伙,约有三百磅重。它挤在一起恶狠狠的双眼,在毛茸茸的眉毛下闪烁着诡谲的神色,并且,正呲出獠牙对着它的"猎物"咆哮。克莱顿越过它的肩头,正好看得见不到二十步开外的小屋。当他一眼看见妻子拿着来复枪从小房子里冲出来的时候,不禁倒吸了一口冷气,浑身的汗毛都竖了起来。

她曾经被这些杀人武器吓坏过,所以,宁愿离它们远点。但是,现在她却像一头母狮保护幼仔那样,无所畏惧地抓着长枪向大猿冲去。

"快回去,爱丽丝!我的老天爷,快回去!"克莱顿大声高喊着。但是她好像根本没注意似的。就在这会儿大猿向克莱顿扑来,他也来不及再说什么了,只有拼尽全力挥动斧头向大猿砍去。但是,大猿有力的手,一下子就把斧头夺过扔到一边去了。大猿咆哮了一声,扭住了已经没有任何防身武器的克莱顿。就在这时,只差一点儿大猿的獠牙就咬住克莱顿咽喉的一刹那,一声枪响,一颗子弹正好打进了它的后颈。

这只野兽猛地把克莱顿甩在一边,转身对着它的新敌人冲去。这时,站在它前面的却是那个吓蒙了的女人。她不懂得要把另一颗子弹推上膛,所以她白扣了一下扳机,却没有子弹打出来。就在这万分危急的时刻,克莱顿跳起来,不顾死活地抓住大猿的肩膀,用力把它从妻子瘫软昏倒的身边拉开。出乎他的意料,大猿笨重的躯体竟应手倾倒,原来爱丽丝的头一枪终于发挥了作用。这个吓人的大家伙向后一翻,就倒在地上死了。

就在大猿倒地死去的一瞬间,克莱顿看到它并没有伤到妻子,便立刻跳到爱丽丝的身边。他轻轻抱起了她失去知觉的身躯,把她弄进了小屋,直到两个小时以后她才慢慢醒来。

爱丽丝醒来的头一句话,弄得克莱顿隐隐地惶恐不安起来。因为在她恢复知觉之后的好一会儿,她用一种好奇的目光看着小屋内的一切,最后有点满意地叹了口气说:"噢!约翰,真的是在家里了,这多好啊!我刚刚做了一个噩梦,亲爱的,我梦见咱们不是在伦敦,而是在一个什么可怕的地方,遭到野兽的攻击。"

"好了,好了,爱丽丝,"他轻轻地拍着她的前额说,"再睡一会吧,不要再用噩梦吓唬自己了。"

就在这天晚上,一个婴儿在这个丛林旁的小屋里诞生了,整个过程伴随着花豹在门外的嚎叫和母狮在附近丛林里的低吼。

格雷斯托克夫人尽管在生下孩子以后仍然活了一年多,但她的精神状态却没有从遭受人猿攻击的惊吓中恢复过来。一年多的时间里,她也再没有迈出过小屋一步,也没有再意识到她并不是生活在伦敦。有时她也会问起,夜晚野兽的吵闹声是什么,仆人都到哪去了,小屋里的家具为什么这样粗糙等一类问题。尽管克莱顿努力想使她明白他们现在的处境,但这些努力似乎都落了空。

可是，另外一方面她又很理智。例如，她有了这样一个可爱的小宝宝，并得到丈夫无微不至的体贴，都使她觉得快乐。这是她年轻的生命中最最幸福的一年。

克莱顿很清楚，如果她不是这样时而清醒时而神志不清，那么她会更加为他们的处境而焦虑不安。所以，克莱顿有时自己忍受着内心的痛苦看着她的糊涂情况，反倒觉得安心。因为，为了她自己，让她这样不明不白的倒好。

很久之前，克莱顿就放弃了获救的希望，他满怀热情地为美化他们小屋的室内而努力工作。地板上铺着狮皮、豹皮，用胶泥自制的花瓶，插着美丽的热带花卉，窗上挂着用竹子和草编的帘子；而最艰巨的工作是，他以极大的热情和简单的工具制作出木条，把天花板和墙壁封了起来，又在小屋内铺上了一层光滑的地板。在以后的一年里，克莱顿有好几次受到在小屋附近侵扰的人猿的攻击，只是因为他从上次以后，总是带着他的来复枪或左轮手枪外出，他也不太怕这些大家伙了。

他加固了窗栏，而且做了一个巧妙的门插销。他一直从窗子里向外面射杀野兽，后来野兽似乎知道了，那可怕的雷声是来自这所洞穴的一只黑棒。这样一来，当他不时需要外出采集野果和狩猎时，他就不怕再有野兽跑到小屋里来了。

在闲暇时，克莱顿经常从他们带到小屋里的少量藏书中，找出一本什么，高声朗读给他的妻子听。他们的这点藏书中有许多都是给孩子看的，像小画书、基础读物等等。因为，他们原来就计划着，他们的孩子要长到好几岁以后，他们才能回到英国。有时，克莱顿也写日记,这些日记他都用法文来写,并把它锁进一只金属盒子里。在日记中,他记下了他们这段奇异生活的许多细节。

在她的儿子诞生整整一年后的一天夜里,爱丽丝女士悄然死去。她走得是那样祥和安宁,以至于克莱顿有许久都未能从他妻子死亡的现实中清醒过来。这可怕的处境来得这样缓慢,无疑他并没有充分意识到。现在这一巨大的悲伤将伴随着对他的儿子,一个小乳婴的抚养责任,一起降临到他身上。

最后写进他日记里的,是她死后那天早上的事。在这里,他记下了这一冷酷现实的一些令人怜悯的细节。这是来自长期忧伤和绝望所产生的一种无可奈何的冷漠,再残酷的打击也无法加深他的痛苦了。他写道:

"我的小儿子正哭着要奶吃,噢!爱丽丝,爱丽丝,我可怎么办啊?"当约翰·克莱顿写到这最后一个字时,他的手再也拿不住笔了。他的头疲倦无力地趴伏在桌子上向前伸出的两只手上。这是一张他为妻子制作的桌子。可是她现在却安静、冰冷地躺在旁边的床上。

很长时间,没有任何声音打破这死样的沉寂——除了那个可怜的小男婴的哭泣。

四
大猿群

距海岸一英里多的台地森林，老猿猴喀却克正在对着它的部下大发雷霆。那些年轻的部下都跳到一些大树的高枝上，躲避它怒火的锋芒。它们觉得与其面对喀却克愤怒得难以控制的拳头，不如冒着跌下来的危险逃到大树的高枝上。

其他的公猿也四散奔逃。没有哪一个愿意把自己的颈椎骨，送进这个盛怒畜生白沫飞溅的嘴里试一试。只有一个倒霉的年轻母猿，一下子失了手，没有抓住高处的一根树枝，刚好滑跌到喀却克的面前。喀却克咆哮了一声就向它扑去，一口将身侧的一块皮肉撕了下来。同时，抓住一根粗树枝狠命地向它头上打去，直到把它的脑壳打碎，脑浆迸出。后来，它一眼又看见了卡拉。这时卡拉刚刚带着它的宝宝从远处觅食回来，根本不知道这个有权威的公猿正在发威。直到它的伙伴发出尖声的警告，才让它警觉起来，拼命地向安全处逃去。

但是，喀却克已经向它扑来，要不是它使出浑身的力量猛力一跃抓住一根高枝，喀却克就会抓住它的脚腕了。假如不是危险十分逼近无路可走，猿猴是不会采取这样危险的一招的。

它的一跳倒是成功了。但是，就在它一闪身抓住远处那个高枝的一刹那，紧紧搂住它脖子的小猿宝宝，却撒手跌了下去。它翻了几个跟头，直跌回三十多英尺的地面上。卡拉惊叫了一声，就直扑了下去，根本顾不上喀却克正在下面的危险。当它抱起血肉模糊的小东西时，它已经死了。卡拉一面低低地呻唤着，一面紧紧抱住小宝宝的尸体。这时连喀却克也不想去打扰它了，也许是因为猿宝宝的死亡，喀却克的怒火就像突然发作那样，突然地消失了。

　　喀却克是一个大块头的猿王，足有三百五十磅。它的前额特别低而且斜向后去。它的一双小眼睛充满血丝，紧贴着它粗糙而扁平的鼻子；它的耳朵又大又薄，但比它的同族人猿要小一些。它现在有二十岁，就出生在这个家族中。它可怕的脾气和特别大的膂力，使它成为这个小部族独一无二的头头。现在它正处于壮年，在它整年漫游的森林里，还没有哪只大猿敢与它对抗，也不敢向它的统治挑战。而且，也没有别的动物去骚扰它。在所有的野兽中只有吞特（猿语，大象）是唯一不怕它的，相反喀却克倒有点怕它。当吞特吼叫着走来时，喀却克就领着它的族群赶快躲到台地的高树上去。

　　喀却克用铁腕和獠牙统治着这个部族的七八个家族。每一个家族有一只成年公猿和它的母猿以及幼猿。猿群全体总数有六七十只。卡拉是一只名叫托勃赖（意为破鼻子）的公猿最年轻的母猿。摔死的那只幼猿是它的头胎小仔。卡拉虽然年轻，但是生得孔武有力，四肢匀称优美。它的前额圆而高出，与它的同族相比，明显看出它更聪敏些。所以，它具有巨大的母爱本能，同样也有母亲的悲伤。不过它毕竟是一只大猿，一种巨大的、强有力的、凶猛的，也令人恐惧的更接近于大猩猩种系中的一员，只是它们看似比大猩猩更有智慧些。这种大猿，曾经因为它们巨大的气力，一度是人类祖先深感恐惧的族类。

当大猿们看见喀却克的怒火已经消了，它们又慢慢地从躲藏的高枝上溜了下来，继续从事各自原先被打断的活动。小家伙继续在树林和灌木丛中嬉戏，一些成年的则趴伏在松软的枯草地上休息，另一些则在忙于翻转枯枝败叶或土块去搜寻甲虫或小爬虫之类的食物。大约过了一个多小时，喀却克就招呼它们，让它们跟着它向海湾的方向走去。

它们遇到开阔地，大部分都在地上步行。它们循着大象走过的路走去。因为这里只有大象才能从纠缠盘绕的灌木丛、爬藤和蔓生植物中蹚出一条路来。当大象来来回回走动时，它们抬起来的脚踝能踢倒一切，并摇摆着它们笨重的身躯所向披靡地迈向前去。

大猿们穿过矮树丛时，和它们的近亲猴子一样地敏捷。它们从一个树枝荡到另一个树枝，一枝一枝地荡过去，奇快无比。卡拉一路上都紧紧地抱着它那死了的小宝宝。刚过中午，它们这一群就来到了一个可以看得见海岸的小山梁，离岸不远有一个小屋，喀却克常来玩耍。

在这里，它曾多次看到它的族类在震耳的轰响声中，死于陌生白猿手持的一根黑色的小棒下。那只白猿就住在这座神奇的小洞穴中。喀却克在它笨拙的头脑中曾不止一次下定决心，想把那个能致命的"机关"弄到手。同时也想趁白猿不备，窜到他的"洞穴"里一探究竟。它一心想咬断那只让它又恨又怕的神奇白猿的脖子。它常和部族游荡到这一带，就是希望有一天那只白猿疏于防守，好实现它的愿望。

近来，它们很少搅扰这里，甚至来也不大来，因为过去那个小黑棒曾多次吼叫着，杀死来到这里的它的部族成员。可是今天好像看不到那只雄性白猿的影子。而且从它们站着的地方看过去，小屋的门还开着。于是，它们慢慢地、小心地、不声不响地穿过丛林向小屋走去。

它们既不咆哮，也不发怒地尖声吼叫，一点一点地向前走去，怕的是吵醒那个也许是沉睡了的小黑棒。直到喀却克终于偷偷地溜到门边，并向里面窥探。在它的后面是两只公猿，再后面就是怀里紧抱着死宝宝的卡拉。这时，它们看到在小屋里，白猿正趴伏在一张桌子上，他的头埋在向前平伸的两只手中间。而在床上帆布下面还盖着一个躺直了的看不见的身体。床旁一个粗制的篮子里正传出婴儿可怜的哭声。喀却克悄悄地走了进来，它伏下身子正准备向那只白猿发起攻击，就在这一刻，约翰·克莱顿突然惊醒。他跳起来正好面对着这一帮大猿。眼前的景象把他吓呆了，屋子里站着三只粗壮的大猿，而在它们的背后还挤着许多，究竟有多少他还顾不得弄清，因为这时，他的左轮手枪和来复枪都挂在远处的墙上，可喀却克已经向他袭来……

当猿王放下了约翰·克莱顿·格雷斯托克勋爵瘫软的尸体以后，它又注意到那个篮子里的小东西。但是，卡拉却抢先了一步，早把那个小东西抱在手里。而且，还没等喀却克拦住，只一窜就跳到门外，然后，爬上高枝躲了起来。不过，就在它刚才抱起爱丽丝·克莱顿那还活着的婴儿时，它已经把自己的死婴丢进了篮子里。婴儿的哭声已经唤起了它胸中的母爱，而这却是那个死了的小宝宝做不到的。

卡拉在一棵大树的高枝上，紧紧地抱着这个尖声哭泣的小孩儿，没有多一会儿，它内心那种和这个婴儿美丽母亲一样温柔的母爱，终于感染了这个男孩朦胧的意识，他开始安静下来。然后，饥饿弥合了他们之间的距离，拉近了一个英国勋爵的儿子和一个奶妈——母猿之间的距离。

与此同时，在小屋里的那几只大猿正在小心地考查这个洞穴里的东西。克莱顿一死，喀却克就放心地把注意力转向床上。那里边的帆布下盖着个什么呢？它小心翼翼地掀起了帆布的一角。当它看见下面躺着一个妇女的尸体时，它一下子就把帆布扯了下来，粗鲁地撕开她的衣服，用毛茸茸的两手掐住她一动不动的白色脖颈。开始它把它的指头掐进她冰冷的肌肉，但很快就发现她已经死了。因此，它就把爱丽丝女士和约翰丢在一边，再也不去麻烦他们，而去摆弄别的东西了。

挂在墙上的来复枪，首先就引起了它的注意。就是这个奇怪的、致死的、雷响的黑棒引起过它多少个月来的渴望和羡慕，现在这个家伙就挂在伸手可及的地方，可是它却缺乏把它一下子拿下来的勇气。

它小心地向它走近，随时准备当它发出低沉的轰响就撒腿逃走。那种怕人的声音它已听过多次。那是一种致死的声响，当它的族类无意或鲁莽地走近那个能使用它的白猿时，它就爆发出来。

它最聪慧的智力，似乎使它觉得这个能发出雷击的东西，只有在能掌握它的猿类手中,才能生出威力来。它就这样思来想去,想伸手去拿可又停下来。它在地板上对着它走过去又退回来,就连它转身要逃走时,眼睛也还是紧盯着那个东西。它用它的长臂支着地,就像人用拐杖一样,在地上走来走去。它在向前迈步时,一面还左右转动着笨重的躯体。这个猿王还不时发出咆哮声,有时又发出刺耳的尖叫,比森林里最可怕的吵闹声还要高。

现在,它终于站在来复枪的下面了。慢慢地举起了它的大手,直到几乎抓到那发亮的枪管,却把手很快地缩了回来,然后又在地上急速地徘徊。就好像要通过这样的行为来显示它敢于接近它,再加上它低声的吼叫,借以提高自己的勇气,好达到它最后攫取那支来复枪的目的。

它再一次停了下来。而这一次它终于成功地强迫自己战战兢兢地把手放在冰冷的枪管上,可是就在它几乎抓起那支钢枪的时候,它又退缩了。它就这样一次次地重复着这一套动作,不过每一次都增长一点点勇气。直到最后,它到底抓起了那把来复枪,并把它从钩子上取了下来。

它发现来复枪并没有伤害它,胆子就大起来,更仔细地研究起这个家伙来。它把枪从头看到尾,抓住枪管向那个黑洞洞里看过去,用指头动动瞄准器,摸摸枪栓、枪托,最后摸到扳机。

在喀却克进行所有这些反复的操作过程中,进到小屋里面的大猿都挤在门里面,注意着它们的头儿。另一些在外面的也都堵在门口,时不时向里张望一眼,想看看发生了什么事。

忽然,喀却克的手指无意间拨动了扳机,小屋里突然爆发出了震耳欲聋的响声。在门口和在门外的大猿连滚带爬地拼命四散逃去。喀却克同样被吓坏了，它被吓得连那个发出怕人声响的"惹祸精"也忘了丢掉，一手紧紧地抓着它向门外窜去。当它向门外逃跑的时候，来复枪的准星恰好挂住了门的外缘，所以，那扇摇动着的门就在这只飞跑的大猿背后，猛力地被关上了。

喀却克逃到小屋外面不远，终于停了下来，这才发现自己手里仍然抓着那支来复枪。它像扔掉一块烧红的铁块一样把它远远地扔了出去，再也不想去动它了。它的那种轰鸣实在是让这只野兽的神经吃不消。但是，它现在也有点相信，这个可怕的棒棒，只要不去动它，它自己是不会伤人的。

过了好一会儿，大猿才又慢慢聚拢来，走向小屋，想继续它们的"调查"。但是，不幸的是它们发现小屋的门竟关得紧紧的，怎么用力也打不开。因为，克莱顿巧妙制作的门闩，在喀却克向外猛跑时，已经被摔得锁死了。而那些钉牢的窗棂，大猿更是无法弄得开。所以，它们在这附近游荡了一阵之后，又动身回到它们来时的森林去了。

卡拉带着新收养的小婴儿，一路上再也没有跳下地来。现在喀却克招呼它下来，它听到它声音里并没有恶意，于是就从一个树枝接着一个树枝地轻轻跳了下来，随着大伙儿一道回去。但是，那些想看看卡拉的稀奇小宝宝的大猿，都遭到了卡拉的拒绝。卡拉要么露出獠牙，要么发出低声的咆哮用猿语以示警告之意。直到它们表示了绝无恶意时，卡拉才让它们走近看看，但仍然不让它们去动它新收养的这个宝宝。就好像它深知，它们毛茸茸的粗手会碰伤它宝宝脆弱而娇嫩的皮肤。

另一件给卡拉带来的困难，是带着宝宝走动成了对它的一项艰巨的考验。它牢记自己那个小东西死亡的教训，所以在走动时，它总是用一只手紧紧抱着这个新宝宝。而其他的小幼仔都能骑在自己妈妈的背上，用两只手牢牢地搂着它们毛发披散的脖子，两只小腿夹住它们的腋窝下面。但是卡拉却不能，它只能让小小的格雷斯托克爵士紧贴在它胸前，让他柔嫩的小手抓住它飘垂的长发。因为，它亲眼见到一个孩子从它背上掉下去惨死，它再不能让同样的事发生。

五
小白猿

　　卡拉尽心尽力地抚育着它的养子。但是它也暗暗奇怪,为什么这个孩子不像别的小猿那样,很快就能长出力气,行动敏捷起来。到他能蹒跚地走路时,已经是来到它身边一年多了。至于说到上树或攀登,我的老天!他可是笨死了。

　　卡拉有时和别的母猿也说起过它这个似乎没多少希望的小仔。但是它们都不知道为什么一个小仔会成长得这样缓慢和迟钝。现在,他来到卡拉身边已经十二个多月了,可连吃的都不会自己找。不过,要是它们知道他在遇见卡拉以前,已经有过十三次圆月的话,它们更该认为这个小仔是没希望了。因为,小猿在两三个月后的进步比这个外来小白猿二十五个月的进步要快得多。

　　托勃赖——卡拉的公猿,更是苦恼。要不是因为它的母猿那么细心地照料这个小仔,它早就想把他扔掉了。

　　"他永远也成不了一个大猿,"它争辩说,"尽管你要带着他和保护他,可他又会给我们什么好处?除了是个负担,什么也不会。让我们把他留在深草里安静地沉睡吧!你可以另生一个强有力的小仔,待我们年老时好保护我们。"

"不,永远不,破鼻子,"卡拉回答说,"既然我得一直带着他,那我就带着他。"

后来,托勃赖只好去找喀却克,想利用它的威信去说服卡拉,强迫它扔掉小泰山。泰山,这是它们用猿语给小格雷斯托克少爷起的名字,意思是"白皮肤"。但是,当喀却克向卡拉说这件事的时候,卡拉却威胁说,要是它们来找它和小泰山的麻烦,它就带着泰山一起离开部落。因为,这是森林里任何一个居民都有的权利,而且,卡拉又是那么一个四肢匀称的年轻母猿,它们都不想丢掉她,这事也只好作罢。

随着泰山的成长,他的进步也很快。到他十岁时,他已经超过了他的兄弟姐妹,成为一个很出色的爬树者。在许多方面,他都和它们有点不同。他异常的灵巧常让他们吃惊。尽管它的气力和体形都没有它们大。因为,一个十岁的大猿已经完全长成。它们这时的身高可达六英尺,而泰山这时才不过是一个半大的孩子。

早从他它孩提时起,他就学着它身材高大的妈妈的样子,用手臂在树枝与树枝间悠荡。而随着他年岁的增大,他整日都和他同样大小的兄弟姐妹在高树梢上穿梭飞奔。他能在高得让人眩晕的树顶上一下子横越二十英尺的距离。而且,即使在大风扫过摇得很厉害的树枝间,也从不失手。他可以在树枝中从二十英尺的高处层层纵跳,最终落地。他的动作非常敏捷,也能像松鼠一样轻而易举地爬上高大的热带树木的尖顶。尽管他这时才不过十岁,但他足有三十岁男子的力气,比训练有素的运动健将更敏捷灵巧。

他在凶猛的大猿中的生活,充满欢乐。在他的记忆中他并没有别的生活,他更不知道在世界上,除了他的这一片森林还有别的地方,而且除了林中的野兽以外,他也不熟悉另外的东西。

他开始体会出他和同伴之间存在着巨大的区别。大概有十岁了,他的皮肤常年露在阳光下,已经被晒黑了。但是,他突然为身体像某些低级的爬虫如蛇类一样,完全没有毛发而感到羞耻。他曾经在自己身上从头到脚涂满稀泥,去遮掩他的这种耻辱。但是,泥巴后来总是要干的,而且掉光了。此外,身上涂满了泥巴又很不舒服,所以,他很快就决定宁肯羞一点,也比不舒服好。

在他们经常栖息的高地上,有一个小湖。在这里泰山第一次从平静而澄澈的水面上看见了自己的嘴脸。那是干旱季节里的一个晴朗的日子,他和一个小伙伴到湖边去喝水。当他们趴在水边时,两张小脸都清楚地倒映在静止不动的水中。一个凶猛而可怕的猿脸和一张古老的英国贵族家系后裔的面孔并排地摆在那里。泰山一下子就吓呆了,也许身上不长毛发倒比长着这样一张脸好得多。他奇怪为什么别的大猿竟然就这么不大在意地看着他。看看!那么一张一条缝似的嘴,露着一排小白牙,把它们和他的猿兄弟的巨大厚唇和有力的獠牙摆在一起可是够看的了。

还有他的那个小小的鼻子,小得像是因为冻饿没有长起来似的。当他与小猿伙伴宽大的鼻孔一比时,他就不由得脸红起来。看看人家那个大鼻子多美!它怎么就能占了脸的一半?这时泰山真的认为:要是有那么一个大大方方的鼻子该有多好!

但是,当他一看到自己的眼睛,更是一个沉重的打击!一个褐色的点,围着一圈灰色,然后是一片苍白。简直可怕!就是蛇也没这样丑陋的眼睛。

他是那样专注于评判他自身的这些特点，以至于连身后蒿草拨动的声音也没有听见。这时一个庞然大物正窜过丛林向他们逼近。和他一起的那个小猿伙伴也没有听见背后的声音，因为，这时它吮吸清水咂嘴唇的吧嗒声和咯噜咯噜舒服的吞咽声，已经盖住了那个悄悄走近的闯入者的声音。

沙保（猿语，母狮），它就趴伏在这两个浑然不觉的小猿身后三十步远的地方。它扫动着尾巴，小心地向前移动着大爪子，没有一点声音，轻轻地、一步步地迈向前去。它的肚腹几乎贴着地面，就像一只捕食的大猫作好了一切准备，随时会向猎物扑去。

这会儿，它离这两个完全没有察觉的顽皮伙伴只有十英尺了。它身躯向后坐到两只后腿上，大块肌肉在它美丽的皮肤下绷紧，它趴伏得越发低了，完全贴在地面上，向上隆起的闪光的脖颈是一副集聚力量作好猛地一蹿的样子，尾巴挺直一动也不动地直竖在身后。一瞬间，它像变成石像似的停止在那里。接着，突然发出惊天动地的吼叫，猛地就向前扑去。

母狮自然是一个聪明的捕猎者。对某些不太聪明的人来说，它扑上去时惊人的一吼也许被认为是做了傻事，如果不声不响地扑上去攫取它的猎物，岂不是更有把握些吗？但是，沙保非常了解森林动物的敏捷和它们超常的听力。对它们来说，作为一种警告，一片草叶碰擦的声音，和它的一声吼叫是一样响亮的。而沙保也知道，它的一扑是无论如何也不会弄不出任何声响的。所以，它的吼声并不是一种警告，而是起到让它的猎物惊呆的作用。在它可怕的叫声中，它可怜的猎物会吓得手足无措。就在这一刹那，它的大爪子就会抓进它们的肉里去，使它们丧失任何逃跑的希望。对于它要捕捉的小猿也不例外。正是在猎物吓得趴伏在那里的一小会儿，就是这么一小小会儿，已经足够导致它们的毁灭了。

但是，无论如何对于泰山——这个人类的孩子来说，事实并非如此。他在森林中充满危险的生活，已经教育他在紧急关头学会自我镇定。而且，他比猿类更高的智慧也使他能产生一种瞬息的远超过猿类的精神活动。所以，沙保的吼叫反而激发了泰山的脑子和肌肉，要他立刻行动起来。摆在他们面前的是深深的湖水，而在他们后面又是死亡的威胁，一种被利爪和獠牙撕扯得血肉模糊的惨酷死亡。

除了渴得要命的时候，泰山通常并不喜欢水。他之所以不喜欢水，是因为他常把它和寒冷与暴雨连在一起，尤其让他害怕的是伴随大雨而来的电闪雷鸣。他的猿妈妈也常告诉他不要走近深水，更何况不久之前，他还亲眼见到小尼塔（一只小猿）沉入平静的湖水中，再也没能回到族群里来。但是现在，面对这两种危险，他在沙保的吼叫刚刚打破了森林的宁静时，就决定选择一条相对平安的路。于是，就在沙保还没来得及扑住他的时候，他一头扎进了水里。

他不会游泳，水也很深。但是，他仍然没有丧失高等动物——人——特有的自信和机智。他很快地活动着手脚，试图浮上去。更多的可能是由于碰巧，他竟于无意中掌握了狗的划水法。所以，没有几秒钟他的鼻子就浮到了水面。而且他发现，只要继续不停地这样划，就可以不下沉，而且可以在水中前进。

他对自己的这一新成就既高兴又惊讶。这项技能来得这样突然，甚至他都没有时间去好好思考一下为什么会这样。现在他可以沿着湖岸游过去，看见了那只差一点扑住他的残酷的野兽，正趴伏在他小伙伴的尸体旁边。母狮正专注地看着泰山，显然希望他会再回到岸边来。当然，泰山自己绝不会想去送死。相反他扯起嗓子，向他的部族高声发出悲痛的呼号，并且，警告跑来的营救者不要闯到沙保的利爪下。

　　几乎同时，立刻从远处传来了回应。而且很快，就有四五十只大猿在树枝间迅速地荡了过来，一齐向悲剧的发生现场拥来。领先的就是卡拉，它一下子就分辨出它最可爱的小泰山的声音。和它一起的还有惨死在沙保利爪下的小猿的妈妈。尽管沙保天生有比大猿更凶猛的獠牙利爪，但是，面对这一大群愤怒的成年大猿，母狮也无意去招惹它们。它只好低吼了一声就向灌木丛中逃窜而去。

　　泰山这会儿才游向岸边，然后迅速爬到干地上来。冰冷的湖水带给他的清新和兴奋的感觉，使他既惊讶又高兴。从此以后，他再也不放过跳进湖水、溪流和海湾里泡一阵的任何机会。

　　有很长一段时间，卡拉都难以习惯泰山天天要泡到水里去的这种毛病。虽然大猿在迫不得已的时候也会这样做，但它们却很少有自愿下水的。对付母狮的冒险也给泰山增添了许多值得回忆的乐趣。因为，这件事打破了他单调的日常生活。否则，他只重复寻找食物、吃饭、睡觉等呆板乏味的活动。

　　泰山的这个大猿部落游荡的范围，大约是沿海岸二十五英里，向内陆伸入五十英里。它们总是在这之间不停地穿行，有时在某个地方停留上个把月。但是，当它们在森林中荡来荡去时，速度却很快，所以，它们在这个领域走一圈也只需几天。只是因为喀却克在一个地方待腻了，它就会领着它们做长距离的转移，但很多时候也根据食物、危险动物的动态和天气状况等决定行动。

到了晚上，它们走到哪儿就宿在哪儿。它们就躺在地上，有时只用象耳树叶盖住头部，很少顾及身体。如果天气太冷，它们就三三两两搂抱着睡在一起，以便取暖。因此，泰山这些年来总是睡在卡拉的臂窝里。

卡拉这个硕大凶猛的兽妈妈，非常爱它这个异族小孩子；泰山也以同样的爱回报给温暖的披满毛发的兽妈妈。这种爱与他给予自己母亲的是一模一样的，如果她还活着的话。当泰山不听话时，卡拉也会拍打他两下，这也是真的，但它从来不虐待他，相反倒是抚爱远多于责罚。

托勃赖——卡拉的公猿，总不喜欢泰山，有几次甚至差点儿结果了泰山的性命。在泰山这方面，自然也从不放过任何一次回报这个"养父"感情的机会。只要泰山能安全地躲在卡拉的臂窝里，或高高的细树枝上，泰山就会向它做鬼脸、骚扰它或向它发出侮辱性的怪声。泰山高超的智慧和机敏，甚至能发明上千种恶作剧，给托勃赖的生活增加了很大的负担。

早在泰山童年时，他就学会了用长草搓成绳子。他就常用这种绳子去套绊托勃赖，有时还试图从高枝上把它吊起来。通过不断地玩弄绳子，泰山慢慢学会了打绳结，做活扣。他和小伙伴们也把绳子当成玩具。在他们中间，泰山却是最精于此道的一个。

有一天，泰山在玩绳子的时候，一手抓住绳子的一端，把有活扣的一端向一个正跑过去的小伙伴套去。那个活扣不偏不倚地落在它的脖子上。它一下子被绳套拉住了，让它吓了一跳。啊！这原来是一个新玩意儿，一个有趣的游戏。泰山这么想着，立刻就想再试几次这玩意儿。经过不断努力和实践，他终于完全掌握了套绳的诀窍。

现在，可不好了，托勃赖的生活就像进入了噩梦。在睡觉时、在行进中，也不论是白天还是夜晚，不知道什么时候一根不声不响的绳套就会滑落到它的脖颈上，而且几乎能把它勒死。卡拉的惩罚、托勃赖凶狠的报复发誓、老喀却克的警告甚至威胁，对泰山几乎都不起什么作用，对此他一概置之不理。那个又细又有力的绳套，仍然时不时地由着泰山的愿望光临到托勃赖的脖子上。不过，对于别的大猿来说，它们却从托勃赖的困窘和难堪中获得了无限的乐趣。因为，破鼻子本来就不大讨人喜欢。

在泰山聪明的小脑瓜里，他神圣的理智力量会不时让他生出许多想法来。既然这种草做的"长胳臂"能抓住大猿，那么为什么不能对付沙保那头母狮？这是小泰山一个思想的火花。这个想法在他的意识和下意识里翻来覆去地想了不知多少遍，最后终于导致了一次意义重大的成功。

但这已是以后岁月里的故事了。

六
森林中的战争

部族的游荡，常常把它们带到海湾的小屋附近。小屋离海很近，老是静悄悄的，但对泰山来说却有说不尽的神秘和快乐。他会从拉上窗帘的窗子上向里面窥视，或者爬到屋顶上，拼命想从黑洞洞的烟囱里弄清坚固的四面墙壁里不可知的奥秘，却总是毫无结果。他儿童般的心灵里，总把小屋描绘成一个奇妙的生命世界。小屋难以闯入，反而千百倍地增加了泰山想进去的欲望。泰山常几个小时趴在屋顶上或扒在窗子上，尝试着找进到屋子里面的办法。可是，那扇门却从没有引起他的注意，因为，这扇门显然像墙一样牢固。

这是泰山遭遇老沙保危险后再一次到小屋附近游荡，当他走近小屋时，他从稍远处意外地发现，安在墙上的那扇门显然是墙壁的一个独立部分。这一回，他突然头一次发觉这就是他进入小屋的一条途径。这是他很久以来一直向往的事。泰山常常一个人去访问小屋。大猿们对小屋不感兴趣。对于这些猿来说，这座白人荒废的住所总是包围在一种怪诞而恐怖的气氛中。关于小屋里能发出雷鸣般轰响的黑棒的故事，十年来，大猿们会时不时地说起，也没有忘记。不过，关于泰山和这个小屋的关系，却没有哪一只大猿告诉过他。猿语的词汇也太有限，它们只能说说它们在小屋里看到的有限的几件事。它们既没法准确地描述那神奇的"人"，也说不清他们的那些东西。所以，直到泰山长大以后，到他能理解这些"人"和东西时，这些"人"和东西却早被他的大猿部族忘记了。只是，卡拉曾含糊地向他说起过仿佛他的父亲是一只"白猿"。当然，他一点也不知道卡拉并不是他亲生妈妈。

这一天，他径直向那扇门走去。他花费了好几个小时去研究它，在合页上、把手上和插销上乱忙了好一阵。最后，他终于碰巧弄对了机关，那扇门突然在他的面前吱吱嘎嘎地打开了，让他大吃一惊。有好一阵他都没敢向前迈一步。慢慢地他的眼睛习惯了屋子里面阴暗的光线，最后他迟疑而小心地走了进去。

屋子的中间躺着一具白骨，发了霉的腐烂衣服附着在上面。床上也躺着一具类似的可怕的东西，不过略小一点。而在旁边的一只小摇篮里则躺着第三具小得多的骷髅。泰山对于这些遥远过去的一桩可怕悲剧的明证，自然是不会留意的。他生活在蛮荒的丛林中，早已经看惯了死掉的和将死的动物。即使他知道他看见的是他父母的遗骨，他也不会感到多大的激动。倒是屋里的家具和别的一些东西吸引了他的注意。他不断地一件一件地研究着，奇怪的工具和武器、书籍、纸张、衣饰等，那些抵挡过岸边丛林潮湿空气长时间侵蚀的一切东西。

他打开了箱子和柜子。他弄开门的那点经验，已经足够对付它们了。现在，他还发现装在里面的东西都保存得比较完好。在许多东西中，他发现了一把锋利的猎刀。他把手放在锋利的刀刃上，一下子就割破了自己的手指。虽然如此，他仍然毫不畏惧地拿着这把刀继续做试验。他不断用这个新玩艺儿去削、砍桌子啦、椅子啦,并从那上面削下一些小木片来。这件事使他高兴了好一阵子。后来他觉得厌倦了,于是又开始了别的探索。在一架装满书的柜子里,泰山找到了一本有许多美丽图画的书,其实这是一本专给小孩用的带插图的字母书。那上面写着学字母用的儿歌(只是泰山这时还看不懂就是了):

A is for Archer, who shoots with a bow.

B is for Boy, his first name is Joe.

一些图画引起了他极大的兴趣。这里有许多和他自己的脸很相似的"猿"。再翻下去他又发现了在标着"M"的下面,有一些小猴子。它们就像他在森林里天天看见的,在树枝之间蹦来跳去的那些猴子一样。但是,在这本书里却找不到画着他的部族大猿的画。既找不到像喀却克,也找不到像托勃赖和卡拉一样的画像。

开始,他想把这些画从书页上捡起来,可是很快他就发现这些形体并不是真的。他当然说不清这是怎么回事,也找不到任何词儿去描述它们。至于那些船啦、火车啦、牛啦、马啦对他更是毫无意义。不过这些都没有那些在图画下面或旁边的"小甲虫"更让他迷惑。他猜想这些小图形可能就是某些特别种类的甲虫,它们虽有的有脚,可是他都找不到它们的嘴和眼睛。这是他平生第一次接触到文字和字母,这时他已经超过十岁了。

当然,以前他从来也没有看见过图画,也从来没有听任何大猿说起过稍微有关书写语言的事,更不要说看到什么人读书啦!所以,让这样一个孩子去猜想这奇怪图形的意义,简直让他不知如何是好。可是翻到书的中间，他终于发现了他的老对头：沙保。再向下翻又看到了盘起来的希斯塔——蛇。噢！这真是太有趣啦！在以前的十年里再没有什么事比这更让他高兴的了。他看得太入神了，以至于连天色渐渐地晚了都没有注意到。直到书上的图像都模糊起来，他才把书合起来放进柜子，关好了柜门。当他走进外面的黑暗里时，因为他不想让别人发现和破坏他的宝库，他把小屋的大门，就像他发现开关秘密以前那样关了起来。不过，他走出去之前，在地板上发现了那把他扔下的猎刀，就把它带上了，想向他的伙伴们显示一下。

他向丛林方向走了才十几步远，突然从一处灌木丛的黑影里，站起来一个庞然大物。起初他还以为是他部族里的成员，但是很快他就明白这是一只勃勒冈尼——大猩猩。他距离它太近了，简直没机会逃跑。但是，小泰山知道他必须站住并为他的生命而战斗。因为，这个庞大的野兽正是他部族致命的敌人。而且，不论是大猿还是大猩猩，都不会求对方饶命或向对方罢手的。如果泰山已经长大成为他部族的一只大猿，那他肯定是大猩猩的一个势均力敌的对手，但现在尽管他的血管里流淌着一个具有优秀血统、敢于战斗的斗士的血液，也经历过丛林中的生活经验的训练，可他毕竟还是个英国小孩子，尽管是个筋骨强健的小孩子，但也无法对付这样一个凶残的敌手。。

正像我们已经了解的，泰山不知道害怕。他的小心脏虽然怦怦乱跳，那是因为冒险而激动和兴奋。他的判断力告诉他，他未必是这个大家伙的对手，要是有可能他早跑开了。而现在他清醒地知道没法逃走时，他就只有毫无惊恐和颤抖地去勇敢面对它了。事实上,他碰上大猩猩时,它已经向他扑了过来。他攒紧的小拳头打在它的身上,就像一只苍蝇撞在一头大象身上一样。但是,在泰山的另一只手里仍然握着从他父亲小屋里捡来的那把猎刀。就在猩猩向他又打又咬,并紧紧抱住他的时候,他突然想起要把刀尖对准那个有毛的胸膛刺过去。随着刀尖的深入,猩猩疼痛地愤怒大叫起来。不过这个孩子毕竟只是这一瞬间才学会使用这把利刃,所以,当猩猩带着它血淋淋的胸膛把泰山拉倒在地时,他又反复几次地把刀深深地刺进猩猩的身体。

猩猩像它同类那样张开手掌向小泰山不断凶猛地打去,而且用它有力的獠牙撕咬泰山的脖子和胸口。有一会儿他们在地上滚到一起,激烈地厮打着。小泰山——年少的格雷斯托克爵士越来越没力气,终于,他用鲜血流淌的手臂把长刀刀刺中了敌人的要害。然后,他也滚倒在死去并渐渐僵直瘫在林地上的猩猩旁,昏了过去。

距离这里大约有一英里远的丛林里,大猿部族已经听到了猩猩的吼叫。按喀却克的习惯,遇到有危险的威胁时,总把它的部下招呼到一起,为的是互相保护。只不过这次这只猩猩大概是落了单的,但喀却克也要查看它的部下是不是有受到攻击的。很快大猿就发现泰山不见了,可托勃赖却坚决反对派人去帮助。喀却克自己也不太喜欢这个小"外来人",所以就听从了托勃赖的意见,只是耸了耸肩膀,就又回到被它当成床铺的那堆草上去休息了。但是卡拉却完全不是这样想的。事实上,它在一发现泰山没有了的时候,等都没有等,就在缠结交错的树枝之间,向听得清楚的仍然在吼叫的那只猩猩所在的地方荡去。现在天已经黑了,一弦新月正把它微弱的光辉向浓密的树叶间投下稀奇古怪的影子。两三点月光时不时地照在地上,但是,它的大部分光亮都集中到丛林深处阴暗的宝殿上去了。

就像一个巨大的幽灵,卡拉无声地在树木间,一会儿沿一根大树枝,一会儿从一棵树梢头跨过一块空地跳到另一根树枝上去。只是靠着抓住一根根树枝,它灵活敏捷地迅速向前奔去。按照它丛林生活知识的判断,悲剧发生地点似乎已经不远了。

猩猩的吼叫声表明这是一场你死我活的斗争,它一定是和丛林里别的什么凶猛动物在拼命。忽然,吼叫停止了,死样的沉寂笼罩着丛林。卡拉无法了解为什么勃勒冈尼——猩猩——最后尖利的声音表明了痛苦和垂死挣扎,可是它却听不到另外的声音可以让它确定猩猩的对手是个什么动物。难道它的小泰山可能消灭一只大猩猩吗?它知道这是不可能的。所以,当它走近传来打斗声音的地方,它越发放慢速度小心地穿过那些树枝,努力地想通过月光照射的地方搜寻打斗的痕迹。终于它看到了!小泰山就躺在一小块空地上。明亮的月光把他照得清清楚楚,浑身血迹斑斑、伤痕累累,在他旁边却横卧着一只硕大僵死的大猩猩。

卡拉低低地叫了一声,就向小泰山冲了过去,抱起了他那可怜的浑身是血的小躯体,紧紧地贴在它的胸口上,尽力想听到他任何生命的信息。后来,它还是把他轻柔地抱到了大猿部族的休息地。有好多天它昼夜不离地守护在他的身边,给他弄水和吃的,随时为他挥赶血肉模糊的伤口上的苍蝇或别的小虫。关于医疗和外科,可怜的它自然一点也不知道,它唯一能做的只是舔小泰山的伤口，以保持那里的清洁，并使身体天然的康复能力更快地发挥作用。

起初，泰山什么也不想吃，只是在昏迷不醒的高烧中翻来滚去。他唯一想要的就是喝水。而为了让泰山喝上水，卡拉只有一个办法，就是用自己的嘴一口一口地从水边含来给泰山喝。卡拉对于命运安排给它的这个孤儿所表现的无私奉献精神，就连人类世界中的一些母亲也未必比得上。

最后，泰山的烧终于退了。这个孩子开始好起来。不过，即使他的伤口最疼痛的时候，他也咬紧牙关不肯乱喊乱叫。他胸口有一小块地方被猩猩有力的利爪抓得都露出了肋骨。他的一条胳臂差一点被猩猩的獠牙咬断。脖颈附近也被撕下来一大片肉，连颈部的血管都露出来了。猩猩凶狠的下颌奇迹般地在这儿咬错了地方，否则泰山就活不了了！

就像抚养他的野兽一样，他对伤痛有一种沉默忍耐的精神。那些大猿都是宁愿爬到一个什么高草丛里躲起来，也不想把自己的可怜相显露给同伴看。泰山觉得只有卡拉是例外，他愿意跟它一起。随着他渐渐好起来，卡拉每次离开他去寻食的时间也长起来。因为，这个痴心的野兽对泰山尽心看护时，顾不上自己吃饱，小泰山也像影子似的跟着它。

七
知识的光明

他终于又能走路了。对于我们的这个小伤员来说,似乎是过了一段漫长的岁月。而且,从此以后他的恢复就加快了,几乎不到一个月,他又像往常一样强壮和活跃了。

在恢复期间,泰山的脑子里多次回旋着他与猩猩的战斗。他想到的头一件事就是收回那把神奇的小武器,正是它使他从一个无望的、等死的弱者变成一个丛林中可畏的强人。另外,他也渴望回到小屋去,继续他对那里的神秘事物的研究和调查。所以,有一天早晨,他一个人又重新开始了他的探索。在路上,找了不大一会儿,他就发现了猩猩的白骨。而在它旁边的落叶中,他终于找到了那把猎刀。它有一半埋在叶子里,现在已长满了锈。大概既是由于它暴露在地面的潮湿里,也是由于它沾满了猩猩血迹的缘故,刀才锈成了这样。他很不喜欢它从原来的光亮闪耀变成现在的样子,但它仍不失为一件不容轻视的武器。而且一旦时机到来,他仍可用它来占得上风。他想,要是老托勃赖再来无理地欺侮他,他就用不着逃跑了。

不多久,他到了小屋门前,只一小会儿就弄开插销进到屋里去了。他头一件关心的事是学会插销的开和关。这件事他是开着门仔细地研究了一阵以后才学会的。这样一来,他能确切地知道如何把门插紧,又用什么方法一拨弄就能把它打开。他还发现,他可以从屋子里面把门插上。这样当他在里面专心研究时,就不会受到干扰了。

他对小屋作了一番系统的搜寻,但是他的注意力很快就转向了那些书。这些书似乎向他发出一种奇异而且有力的影响,它们不可思议的谜一样的魅力,使他难于注意别的东西。

泰山翻看的是书堆中的一本初级课本、几本儿童读物、许多画书和一本词典。他所翻看的书没有画图的地方总是充满了小甲虫。它们也激起他的惊讶和深深的思考,但最引起他幻想的是那些图画。

泰山这个小野人,蹲坐在小屋里他父亲制作的桌子上,那裸露的、光滑的、褐色的小躯体专注地伏在一本书上,而那本书就在他那有力而秀美的手中。他现在的形象,在我们的眼前呈现出一幅让人同时感到悲悯与大有希望的画面。这画面描画出一个原始的故事人物,如何从无知的暗夜中探索着走向知识的光明。他的小脸带着紧张学习的表情,因为他已经以一种模糊的、朦胧的方式,部分地掌握了某种入门的想法。这种想法命定会成为解开奇异小甲虫之谜的钥匙。他手中是一本打开的初级读物,正翻到有和他一样的小"人猿"图画的一页上。只是这个小"人猿"除了手和脸以外都遍布着有颜色的毛。啊!原来他把夹克衫和长裤也当成毛了。在这幅图画下却有三只小甲虫——ＢＯＹ。

现在,他又发现在这一页甲虫的主体里,同样次序排列的这三个小甲虫反复出现了好几次。他了解的另一面是,相对来说单个的小甲虫几乎没有,它们虽然偶尔走单,但更多的时候却是几个相伴着一起反复出现。他慢慢地翻着书页,审视着图画和正文,搜寻着再一次找到 B-O-Y。忽然,他又在另一幅画下发现了这一组合。

这是一幅小人猿和一只用四脚走路很像豺一样奇怪的动物。在这幅画下的小甲虫是:A BOY AND A DOG。

它们在这儿啦!这三个小甲虫总是和小人猿在一起!

就这样,他慢慢地取得了进步,因为这毕竟是一项艰巨而又花费精力的工作。他并不知道,这是在学习看书,而且,这种学习是他在对字母和文字一无所知的情况下进行的。这是一件值得他全力以赴的工作,尽管在这种情况下对您和我来说几乎是不可能成功的。他并不是一天之内就完成了这件事,也不是一周、一月、一年,而是非常缓慢地前进着。他在知道了这些小甲虫可以被他所认识这件事以后,直到大约十五岁的时候,他才知道各种不同的小甲虫搭配,以及那些小甲虫是如何代表初级读本和另外几本画书中每一幅不同的图画的。但对于冠词、连词、动词、副词、代词的用法和意义,他只有非常含糊的概念。

大约还是在他十二岁的时候,在桌子下面的一个从来没有打开过的抽屉里,他发现了很多铅笔。他用一支铅笔在桌面上画了一下,竟高兴地发现在它的后面跟着就出现了一条黑线!他用他的这一新玩具用得太勤快了,以至于很快桌面上就出现了一大堆潦草的圆圈和乱线,而且,铅笔的头也磨秃了。然后他又拿起了另一支。不过这一次,他心里已经开始有了确定的目标。他试着再造出他书里面某些杂乱无章的小甲虫。这自然也是一项艰难的工作。因为他握笔就像握着刀柄一样。这既不能让他把字母写清楚，也不能让他觉得写字轻松。但是，只要他到小屋去，他就不断地坚持写字。经过日积月累反复不断的实验，他终于找到了握住铅笔的最佳姿势，使他可以大体上再造出任何小甲虫了。

就这样他开始了书写！

抄写小甲虫教会了他另一件事：它们的数量。虽然，他不能像我们那样数清它们，但是，他从而有了数量的概念。他就是以他一只手的指头为基础开始数数的。他通过对几本书的研究，确信自己已经发现了所有经常反复结合在一起的小甲虫。而且，由于经常仔细查阅那本迷人的带画的字母书，他很容易就弄清了它们的次序。

他的自我教育不断地进步。不过，他大量的发现还是从那本带图的大词典里取用不尽的仓库中得来的，因为即使在他掌握了小甲虫的重大意义以后，他从图画的媒介中学到的也远比从课文中学到的多得多。当他发现了"词"的字母排列以后，他又从研究那些他已熟知的词和跟在它后面的词的结合中，了解了新词的含义。这样他就在博学的迷宫中又前进了一步。到了他十七岁左右，他已经学会了阅读简单的儿童初级读本，并且完全理解了小甲虫真实而神奇的作用。

他不再为自己无毛的身体和种种"人"的特征而感到羞耻了。因为，现在他的理智告诉他，他和他野蛮有毛的伙伴是不同种族。他是"人"：M-A-N，他们是"猿"：A-P-E-S，而在树顶上窜来跳去的小猿是"猴子"：M-O-N-K-E-Y-S。他还知道老沙保是"狮子"：L-I-O-N-E-S-S，希斯塔是"蛇"：S-N-A-K-E，吞特是

"大象"：E-L-E-P-H-A-N-T。就这样他学会了读书。

从此以后，他的进步更快了。借助于大词典和一颗天赋聪敏的头脑，他以超常的理解力精明地猜到了许多东西。虽然他未必对有些东西完全理解，但他的猜想总是非常接近真实。

他的教育常常由于部落的迁移而中断。不过，即使在他离开书本的时候，他的脑子也在积极地继续探索着这项迷人的业余爱好中的奥妙。一块树皮、一片树叶，甚至平展光滑的地面，都成为他练字的练习本。他就在那上面用他的猎刀尖，写划着他学习中的课程。

在他专心地追随着他的爱好去解决藏书里的奥秘时，他并没忽略更加艰苦的生活责任。他不断地运用着绳子，玩弄着他的猎刀。现在他已经知道如何在平光光的石头上把猎刀磨快了。

从泰山来到大猿群里算起，这个部落已经大了不少。因为在喀却克的领导下，它们能够把别的部落从它们的领地上赶走。这样它们就有了丰富的食物，邻近部落掠夺性的入侵几乎造不成任何损失。也因为青年小公猿都逐渐长大成年以后，发现它们在自己的部落里找配偶，或者从其他的部落里俘获一只母猿带回喀却克群里来与大家和睦共处，比它们自己出去建立新的家庭要好得多。至于想取代喀却克的权威则更不可取。虽然偶尔有那么一两只凶一些的大猿想尝试后一种选择，却没有谁能从凶猛的喀却克那里夺取到胜利的棕榈叶。

泰山在部落里处于一个特殊地位。它们虽把他看成它们中的一员，但在某些方面又与它们不同。部落里的老公猿要么完全不搭理他，要么就对他恨得牙痒。幸亏他有那说不出的机灵和敏捷，以及凶猛的卡拉的保护，不然早就一命呜呼了。托勃赖是他最长久的敌人。但是，当他大约十三岁的时候，正是由于托勃赖，敌对者们对它的迫害突然停止了。除非当它们中哪一个由于意外暴怒而精神错乱时，才会发生乱打乱咬。不过这种莫名其妙的狂怒是丛林中许多凶猛的雄性动物都会出现的。在这种时候，这只雄性动物对谁都不安全。

泰山在部落中树立起尊敬的那天，部落正集中在丛林中天然形成的一座圆形"会场"中。它是低矮的群山中洼地里的一块空地，这里没有缠绕纷乱的藤蔓植物。这块空地差不多可说是圆形的，但它的四面却长满了高大的原始树木。而且，粗大的树干之间长满了矮小的树丛。它们是如此茂密，以至要到这块平展的小空场上去，只能从高处的树枝上穿越过来。

在这里，部落经常不受干扰地聚集在一起。在这块空地的中央，是一架土鼓。据说它是大猿们造起来用于那些古怪仪式的。有人听到过它发自丛林深处的声音，但是却从来没有人亲眼看见过它们的集会。

许多旅行家看见过大猿的鼓，也有的人听到过敲打它的声音以及丛林中这种掌权者们古怪的狂欢聚会的吵闹声。但是，泰山——格雷斯托克爵士却无疑是人类中仅有的一个曾经参与这一狂热到发疯一般的鼓宴的人。现代教会和国家的礼仪和仪式，毫无疑问都是从这种原始的鼓宴的功能中演变出来的。因为，据说遥远的千百万年以前，在最原始的人类范围内，我们的浑身还有着毛发的勇猛祖先，就是在热带丛林深处的明亮月光下，伴着土鼓的声音，跳着鼓宴礼仪舞蹈的。如今这月亮还像那时的朦胧之夜一样没有变化。我们也还是能从这种原始的鼓宴中,想象出那遥远过去的景象。那时,我们毛茸茸的祖先也是从摇动的树枝上荡来,轻轻地落到第一个聚会处那柔软的草坪上。

泰山已经十三岁了。就在这年的今天,他终于从追随了他十二年的无情迫害下赢得了自己的解放。而这一天,也正是大猿们举行鼓宴的一天。

如今喀却克的部落已壮大到有百来口子了。它们这时成队地从丛林的底层树枝上,悄然地跳落到圆形空地上来。鼓宴标志着部落生活中的重大事件,例如:一次胜利,俘获了敌人,杀死了丛林中某些大而凶猛的居民,猿王的死亡或掌权等,都要伴着成套的仪式进行。今天,是为了杀死别的部落里的一只大猿。当喀却克进入场地时,它们看见两只大猿把俘获者的尸体搬了进来,把它放到土鼓的前面。然后,它们像看守一样蹲在它旁边。这时部落里其他成员都蜷起身体,缩在角落的草丛里睡觉,等待着月亮上来时开始它们的狂欢仪式。

现在,除了偶尔有羽毛光彩美丽的鹦鹉的鸣叫,或者在那丛林枝条上和鲜艳怒放的野花间,成千只丛林小鸟一阵飞鸣尖叫打破沉寂以外,有好几个小时,空地被一片庄严的寂静所笼罩。终于,当月光把黑暗慢慢驱走,光明重新照亮丛林的时候,大猿开始兴奋起来,而且很快就在土鼓四周围成了一个大圈子。小猿和母猿们在外缘围成了一个稀散的外圈。在它们的里面则排列着成年的公猿。在土鼓的前面是三只老母猿,各自手里抓着一根由十五六英寸长的树枝做成的鼓槌。当第一缕朦胧的银色月光镶上了周围树顶的那刻,它们缓慢地轻柔地开始敲击起土鼓,发出了低沉的声响。

当上空越来越明亮起来时,母猿的鼓声也越来越急促,而且敲击得也越加有力,直到鼓声形成一种狂热喧闹的节奏,向着大丛林的方圆几英里外散布开去。凶猛的大野兽们都停下了它们的捕猎,昂起头,竖起了耳朵,倾听那沉闷的发自人猿咚咚鼓的隆隆声。有时它们中的某一只会发出尖利或雷鸣般的吼声,回应人猿野蛮而喧闹的挑战,但是,却没有一个肯走近来探寻或攻击这些大猿。因为,那些大猿一旦聚集起全体的力量,就会让它们周边的邻居们产生深深的敬畏之感。

等到鼓声的喧闹高到震耳欲聋的程度时,喀却克一下子就跳到蹲着的公猿和击鼓者之间的空地上。它直直地站着,头尽力向后仰,仰到两眼完全专注地看着那缓缓升起的月亮,用自己毛茸茸的大爪子敲打着胸脯,发出凄厉可怕的咆哮声。一声,两声,三声,这一令人毛骨悚然的叫声响彻整个不可思议的死寂般的世界,这个世界是那样不可言状,一切都让人感觉转瞬即逝。随后,喀却克蹲下来,向着躺在土鼓前祭坛上尸体的方向,悄悄地绕着大圆圈走着。但是,当它走过祭坛前时,它还是用它带着点邪恶的凶猛发红的小眼睛盯着那具尸体。

然后,另一个公猿也跳进了圆形场地,也重复着猿王同样可怕的吼叫,接着就紧跟在喀却克的后面悄悄地走着。随后,一个个公猿都这样依例吼叫,也跟在它们的后面绕着圈走着。直到丛林里不停地回响着它们嗜血的叫喊声。

这就是挑战和狩猎!

直到所有的公猿都参加到这个跳舞者的圈子里来以后,攻

随着鼓声，舞蹈者如醉如痴起来。

击就开始了。喀却克从旁边的棍棒堆里抓起了一根棍棒,凶狠地向那头死猿击去,给了它猛烈的一下,同时,又发出一声战斗时龇牙咧嘴的咆哮。鼓声喧闹也越来越大起来,节奏也加快了。参加狩猎的每一个走近那个猎获物的战士们,都要给它一棍,然后,就卷入到那发疯的死亡之舞的旋涡之中。

泰山是这狂热、跳跃的群体中的一员。他流着汗的、褐色而强壮的身体在月光下闪着光,在粗野、可怕、毛发披散的猛兽围绕下越显出他柔和而高雅的光洁。没有哪一个比他在这模仿狩猎中更机灵鬼祟的,没有谁比他在狂野的进攻中更凶猛的,也没有谁在这死亡之舞中比他跳得更高的。

随着喧闹的高涨和鼓声的急促,舞蹈者也越显得如醉如痴起来。它们伴着快速的节奏,发出野蛮的呼喊,蹿跳跨跃的幅度也加大了。它们露出的獠牙滴着口水,它们的嘴唇和胸脯上都沾满了唾沫。

这种怪诞的舞蹈一直继续了半个多小时,直到喀却克发出了一个信号,喧闹的鼓声停止了,击鼓的母猿蹿跳着跑向蹲在外圈的观望者。随后,公猿们一起冲向那被它们猛烈击打得成了一堆带毛肉酱似的东西。它们很少饱餐过肉食,所以,一场狂热欢宴的最后一项节目就是品尝新杀的鲜肉,吞掉它们刚刚消灭的敌人。现在它们把注意力转移到了这顿美餐上。

大獠牙一下子插进了尸体里,撕下了一大块一大块鲜肉。最有力气的大猿会得到精选的一块;而待在争抢混战外圈的弱小者,只能挤作一团等待它们的机会,或者偷偷地溜进来攫取一小块掉在地上的精肉,或者在被抢光之前偷一点残渣剩骨。

泰山比大猿更渴望和需要肉食。作为一个肉食种族的后裔，在他记忆里，却从来也没有得到满足的动物食品。所以现在他灵活的小身体，就蠕动着钻进争抢着的猿群的最里面，努力分开它们好抓取一份鲜肉，尽管他的力气未必能胜任这项活儿。

他身体的一侧挎着他还不知名的父亲的猎刀，刀的外面有他照着他视为珍宝的画书上所示而制作的刀鞘。最后，他终于挤到了很快就要抢光的盛宴跟前，用他锋利的猎刀割下了比他期望的还要丰盛得多的一块。它是一条带着毛的前臂，就伸到陛下喀却克的脚下。只是这位大王太热衷于维护它的王权了，以至于对这一亵渎大王尊严的事都没有注意。小泰山把血淋淋的战利品紧贴在自己的胸前，就这样从忙于争夺的猿群下面偷偷溜了出来。这时托勃赖就挤在外围那些干等着的赴宴者中。它其实是第一批就"入席"了的，只是它已经把刚才捞到的很好的一份悄悄地吃完了，现在又想挤进来再弄一点。所以，它一下子就看见了小泰山怎样从撕扯推搡的猿群中紧抱着那块带毛的前臂挤了出来。当托勃赖看到它所憎恨的对象时，那几乎挨在一起的充血的小眼中不由得闪烁出邪恶的光亮，在这种光亮中也包含着对那孩子拿着的美味的贪婪。不过，泰山也立刻就看见了他的宿敌，并一下子猜透了这个野东西的意图。所以，他敏捷地向母猿和小猿群中逃去，想躲到它们中间。可是，托勃赖跟得太紧，他在这里来不及找到藏身的地方。

好吧！那就看他究竟要怎样脱身。

他疾速地向附近的大树跑去，只是灵敏地一跳，就用一只手够到了一根低矮的枝条。然后，他把那块肉放到嘴里，两手并用地飞快向上爬去。这时，托勃赖还是紧紧地追在后面。可是，泰山却越来越高，当他爬上一棵树那摇晃的尖顶时，他的追捕者沉重的身躯就不敢再追他了。泰山就悬空高坐在那里，向在下面离他还有五十英尺的愤怒至极的托勃赖大肆嘲笑辱骂。

然后，托勃赖就气疯了！

它一边发出可怕的咆哮和吼叫，一边冲进地上的母猿和小猿群里，乱咬乱撕。十几个小猿的脖子都被它咬伤，只要落到它手边的母猿不是前胸就是后背也会被它的利齿撕下一块肉来。

在皎洁的月光下，泰山看得清清楚楚，整个狂欢猿群近似疯狂的场面。他看到母猿和小猿都躲到了树上安全的地方去。大公猿则在场地的中心用它们的獠牙撕咬着它们发狂的伙伴。最后，他们都躲进了森林的阴影之中。

现在，圆场中只剩下了一个托勃赖。这时，一只迟来的母猿正从它身边跑过，迅速地向泰山占据的那棵大树跑去。可怕的托勃赖发现后立刻紧追不舍。

这母猿正是卡拉。当泰山看到托勃赖就要追上它时，马上就从树顶跳了下来，像一块下落的石块那样非常迅速地从一个树枝荡到另一个树枝，向他的养母奔去。

泰山正等着这场追逐的结果。现在，卡拉已跑到泰山蹲伏的树枝下面了，它一跳就抓住了一根低树枝。如果托勃赖再快一点，就能抓到卡拉了。因为这树枝几乎就挂在托勃赖的头顶上方。卡拉这时已经差不多安全了，可是，突然"咔嚓"一声，这树枝断了。卡拉整个身躯刚好落在了托勃赖的头上，把它一下子砸倒在地。

这两件事就发生在一瞬间，但是，它俩的动作都没有泰山快。就在那只被激怒的公猿托勃赖刚刚爬起来的时候，小泰山已经站在它和卡拉中间了。

啊！对于托勃赖来说再没有比这更中意的事了，真是想什么就来什么。它高兴得咆哮了一声就向小泰山——我们未来的格雷斯托克爵士扑去。但是，它的獠牙永远也没有能力再接近泰山褐色的肌肉。说时迟那时快，一只肌肉丰满的手抓住了它有毛的咽喉，另一只手把一把锋利的猎刀向它宽阔的胸膛连连刺去。就像闪电击中了的大树一样，当泰山拔出刀来时，那四肢无力的形体已颓然地倒在了他的脚下。

当托勃赖的身体翻滚到地上时，人猿泰山把一只脚踏在了它宿敌的脖子上，望着月亮，仰面向天，发出了猿猴那种让人毛骨悚然、不寒而栗的长啸。这时，在树上隐蔽处待着的大猿一个一个都荡到地上来，在泰山和被他消灭的敌人周围围成了一个圈子。

"我是泰山！"当泰山看到大猿们都来到他跟前时，他喊叫着说。

"我是一个伟大的杀手。你们大家都要尊重人猿泰山和他的妈妈卡拉。谁敢作对都给我小心点！"

泰山向喀却克邪恶的小红眼睛瞪了一下，然后，拍了下自己强壮的胸脯，再一次发出了一声警告的尖利长啸。

八
树顶猎人

鼓宴的第二天早上，部族又开始回头穿过丛林慢慢地移向海边。托勃赖的尸体仍躺在它倒下的地方，因为喀却克的大猿们是不吃自己部族的死者的。这一次只是悠闲地寻找食物的旅行，椰子、李子、芭蕉在这一带是很丰富的，此外还有野菠萝。有时它们会找到可吃的小哺乳动物、鸟蛋、爬虫类和昆虫。它们用有力的下颌咬碎坚果，如果这些坚果太硬，就在石头上砸碎它。

一旦老沙保和它们在路上相遇，大猿就匆匆躲到树上安全的高枝上。其实就大猿的数量和它们的利齿而言，它们和沙保的残暴凶猛相比也可算得上势均力敌了。

在一枝较矮的低枝上，泰山就处于沙保的正上方。他柔软的身体正随着沙保在浓密树枝间悄然无声地缓缓前进。这时，他向沙保扔过去一个菠萝，正好打在这个宿敌的身上。这只大野兽立刻停下来，向它头顶上那个胆大妄为的家伙望去。它一面愤怒地甩着尾巴，露出了发黄的獠牙，一面撩起了上嘴唇，耸起毛发倒竖的鼻子，发出一声轻蔑的咆哮。它那带点邪恶的眼睛也眯成了一条缝，显出生气和憎恶的样子。它耳朵向后抬起了头，直瞪着小泰山，发出尖利而凶猛的挑战的吼声。可是，待在安全位置上的这个人猿孩子,也向它回敬了几声可怕的人猿吼叫。有好一会儿,他们双方互相不声不响地对望着。然后,这只大猫转身向丛林走去,就像波涛吞没一个小石子似的,消失在林海之中。但是,在泰山的脑子中,却从此产生了一个伟大的计划。他杀死过凶猛的托勃赖,难道他不算一个有力的斗士吗?现在,他不也可以追捕到这个诡诈的沙保并且杀死它吗?这样他就会成为一个全能的猎手了。

不过,在他英国人的小心眼里还跳动着另一个强烈的欲望——用衣服去遮盖他裸露的身体。因为,他已经从他的画书上知道,所有的"MAN"都那样遮盖着。而猴子啦、猿啦以及其他动物才都是赤条条的。"衣服"因此也就成为一种伟大的标志,成为"MAN"超越一切动物的一种高贵的励位记号。确实,要不是为了这些,有什么理由要穿上那些讨厌的东西?

多少个年月以前,当他还很小的时候,就很羡慕沙保、努玛(猿语,雄狮)和希塔(猿语,花斑豹)的皮,以便去遮掩他无毛的躯体,免得他像讨厌的希斯塔——蛇一样赤裸。但是现在他却对光滑的身体有点骄傲起来。因为他知道这是他来自一个强大种族的明证。现在,两种互相矛盾的欲望,想裸露着以证明他骄傲的血统和穿上讨厌的不舒适的服装,好与自己种族习惯保持一致的想法,交替占着上风。

在自从部族遇到沙保以后,继续穿过树林向海边缓慢走去的一些天里,泰山很少想到别的事,他的头脑中一直盘算着杀死沙保的计划。

不过,有一天他真的遇到了更吸引他注意力并且利害攸关的大事。那天忽然天就黑了下来，树木都挺在那里一动不动，好像将要遇着什么巨大的灾难降临而瘫痪麻木了似的。大自然都在等待，呈现出暴风雨前一刹那的平静。

最后，终于从远处传来一种低沉哀怨的呻吟，它越来越近，声音也越来越大。大树像被一只大手压弯，一齐向地面弯得越来越厉害，几乎贴近地面。而这时，除了大风的低吼怒吟以外，再也听不到别的声音了。然后突然地，丛林的大树全都向后扫去，挥动它们有力的顶梢发出震耳欲聋的怒号。一道惊龙似的光亮耀眼的闪电，来自翻滚着乌云的天空之中。连珠炮响的惊雷喷出它可怕的挑战，暴雨倾盆而至，翻江倒海似的洒向丛林。

部族里的大猿在急风暴雨中冷得瑟瑟发抖，在大树根旁挤成一堆。闪电划破暗黑的天空，照亮了猛烈摇摆着的树枝、挥舞如旗的枝条以及弯曲扭动的树干。时不时地有古老的大树王被闪电劈成千百块碎片，飞散到周围的树上，并且带落无数的树枝和周围的小树，从而更增加了热带丛林的缠结与纷乱。许多大大小小的树枝被迅猛的狂风卷起，散落到猛烈波动的一片片青草丛中，给它们和它们下面不幸的动物世界带来死亡和毁灭。

几个小时过去了，激烈的暴风雨一直持续不停。大猿都挤成一堆，害怕得发抖。它们唯恐倒下的树干或大树枝砸在自己的身上，也被阵阵的闪电吓得快要瘫在那儿了。不断的雷声弄得它们不时地趴在地上，一直到暴风雨过去以后。

暴风雨像来时那样迅猛地突然消散了。风停了，太阳出来了，大自然又露出了微笑。

水珠欲滴的树叶和枝条，艳丽花朵上湿漉漉的花瓣，都在回归的阳光下闪烁着绚丽的五彩光芒。狂风暴雨就这样被大自然忘却了,也被她哺育的孩子们忘却了。生活就像未经过暴风雨的黑暗和恐惧之前那样,又继续繁忙起来。

但是,泰山的头脑中却从而萌发出了一道智慧的曙光,他解开了"衣服"的奥妙。要是他能在沙保厚厚的外"衣"遮掩下,那该有多暖和啊!这样,他又增加了一项冒一冒危险去猎杀沙保的理由。

有好几个月,部族就游荡在海岸附近。泰山的小屋也在那里。因此,他的学习占去了他大部分时间。但是,只要他在丛林中旅行时,他总是准备好绳子,不过落入他迅速扔出的索套中的只是许多小动物。有一次,泰山正伏在一根大树枝上,他抛落下来的柔软的索圈正好套住了豪尔塔(猿语,野猪)的短脖子。这时,野猪想挣脱束缚的猛冲竟然把泰山从树上面拖翻下来。这个有长獠牙力气又很大的家伙,听到泰山身体落地的声音。它转头一看,原来是一个到口的食饵,就低下脑袋向大吃一惊的青年发疯地冲了过来。泰山这时幸而没有摔伤,他就像一只猫一样四肢并用远远一纵躲开了攻击,一转眼他又像猴子一样用他的双脚灵敏地跳跃开去。当他刚跳上一根安全的低树枝时,野猪在他下面正好扑了个空。

这样一来,泰山就从经验中了解了他这种绝妙武器的局限性和可能性,为此他也丢失了一根长套绳。所幸的是野猪不是沙保,仅仅能把他从树上拖下来而已。要是沙保,无疑在交手中连他的性命也会搭进去。

后来,他花费了许多时间搓了一根绳子。新绳子促使他为完成进一步的目标而开始了狩猎。他躲在树上浓密树叶中守候着,那位置恰好选在踩得光光的饮水小路的上方。他放过了好几只小动物,他并不想和它们玩无关紧要的游戏,只想对付一个强有力的家伙,以测试他新计划的效能。

最后,泰山梦寐以求的,在闪亮的兽皮下滚动着丰满肌肉的,胖得圆鼓鼓的沙保走来了!它长着肉蹼的大爪子,轻而无声地落在狭窄的小路上。它的头抬得高高的,似乎永远保持着警惕和专注,它的长尾巴慢慢地文雅地弯曲摆动着,越来越近地走到人猿泰山趴伏着的大树枝跟前。此时泰山正把长绳一端的圈套提在手里作好了准备,他像泥塑木雕似的待在那里一动不动。沙保正在他下面走过来,一步,二步,三步……然后,那圈索套悄然地一下子就落了下来。

开始的一瞬间,展开的套圈像一条蛇一样盘在沙保的头上。然后,它抬起头搜寻那"嗖"一声掉下的绳子的来源。因此,这绳子现在就挂到它脖子上了。这时,泰山猛地拉紧了绳圈,紧紧地箍住了它光亮的脖颈。接着泰山两手一齐用力抓住了绳子。

沙保到底落进了圈套。

受了惊的沙保猛地一跳,转身就向丛林奔去。但这一次泰山再不会像上次那样弄丢他的绳子了。他已经从实践中学到了经验。母狮只跳了第二下就发现在脖子上的绳套越发地紧了。它一下子被扯得前肢腾空,背朝后仰面跌了下去。原来泰山已经把绳子的一端死死地绑在了树上。这样一来,他的计划就完善多了。但是,当他倚在一个大树杈子上拉住绳子时,他发现要把这个挣扎着又抓又咬、又吼又叫、孔武有力、暴跳如雷的大家伙拉到树上吊起来,却完全是另外一个问题。沙保的体重非常巨大,当它撑起大爪子时,简直就像大象一样力大无穷。也许只有大象吞特能稍许搬动它。

这时,母狮在小路上向后退了两步,终于能看见究竟是谁敢对它这样无礼。它怒吼了一声就发起了攻击,高高地跳起来朝泰山蹲着的树枝扑去,可是,刹那间泰山早逃开了。他已经爬到离这个狂怒的俘虏约二十英尺高的树枝上了。有那么一会儿,沙保几乎半吊在树枝上。这时,泰山却向它做鬼脸,向它毫无保护的脸上扔树枝。

现在,沙保又挣扎着落到了地上,泰山赶快向下跳了几步抓住绳子的一端。这时沙保才发现原来拉住它的却是那么一根细弱的绳子。接着它就用它的大爪子抓住了它,在泰山还来不及更进一步收紧他的套圈时把它抓断了。泰山大受挫折,他精心策划的安排又落空了。他只好坐在树枝上对着下面发怒咆哮的畜生大做鬼脸。

有好几个小时,沙保就在树下不断地走来走去。它有四五次向下一伏,然后猛跳起来扑向那个在它上面蹦来跳去的小鬼精灵,但每次都只抓住了树梢间沙沙吹过的风。

最后,还是泰山对这场把戏玩腻了。他发出了一声临别的挑战吼叫,抓起了一颗熟透了的果子向敌人扔去,刚好就软软地摊开贴在母狮正在咆哮着的脸上。而这时泰山却轻捷地穿过树枝,在离地百来英尺的上方向前荡去。没多一会儿,他就又回到自己的部落里去了。在这里,他详细地大讲了一通这次冒险的经过,不免讲得很有些志得意满,而且,讲得绘声绘色,连他的对头都不禁动容,卡拉更是听得手舞足蹈起来。

九
人和人

有好几年，人猿泰山没有什么改变地以他野蛮的丛林方式生活着，只是他长得更加强壮更加聪明了。他从他的书里学到了有关那个存在于丛林之外奇妙世界的更多知识。不过，生活对他来说，却不是单调和千篇一律的，因为，许多溪水和小湖里常常可以捉到皮萨（猿语，鱼），而不论何时只要逗留在地面，又得永远保持警惕以防备沙保母狮和它的近亲种类。他们常常袭击泰山，泰山也常常追猎它们。很难有什么动物能从自己的隐蔽处穿过茂密树丛时逃过它们的利爪，但它们残酷锐利的爪子从来也没有够到过泰山。

沙保是快速的，努玛也一样的快，希塔更快，但是，它们都没有泰山轻捷、灵敏。不过，泰山却和吞特大象交上了朋友，他们是怎么搭上交情的？天晓得！他们之间的亲密关系，丛林中的居民都是亲眼目睹的。多少个月光似水的夜晚，泰山和吞特在一起散步，而到了开阔地，泰山就爬上大象宽大的脊背，不是骑着就是蹲踞在上面。

这些年里，泰山总有很多天消磨在他父亲的小屋里。那里仍然陈放着他父母和卡拉婴儿的骨骼。到了他十八岁时，他已能流畅地阅读了,而且几乎完全理解书架上各种各样的书。他也学会了写字,并能快速而流利地写出印刷体字母,只是对于那花里胡哨的草体字母他还掌握不好。虽然,在小屋的宝藏里也有几本字帖,但是,却很少有书写的英文书,以至于他不懂为什么要自找麻烦去书写这种曲里拐弯的什么字体?不过,他还是能吃力地把它们写下来。

就这样地,在十八岁时,他这位英国小爵士虽然不会说英语,但却能阅读和书写英文!而且,他有生以来还从没有见过一个人类,因为,在大猿部族游荡的这一小块地区里,并没有大河流过,不能把内地的土著带下来。三面是高山,前面是大海,狮子、豹和毒蛇都在这里生活繁衍。这里是一块被浓密阴暗的丛林环绕的原始迷宫。至今还没有"人"这种动物中的勇敢开拓者闯入它的领域。不过,当泰山有一天坐在他父亲的小屋里,正专心致志地探索一本新书里的奥秘时,自古以来丛林中的安定状态却被永远地打破了。

在远处的东方边界,一支古怪的队伍正跨过一个不高的山包。队伍的前面是十五个黑武士,扛着细长的木标枪。枪头经过文火烘干,相当坚硬。他们还挎着长弓,带着毒箭,背上背着卵形的盾牌。这些人鼻子穿着一个大环,而在他们头顶的卷发上都竖起了一束华丽的羽毛装饰。他们的前额上都刺有三条平行的彩道,每人的前胸有三道同心圆花纹。他们的黄牙都经过磨尖,大而突出的嘴唇越发增加了他们外貌的粗野和兽样的残酷相。

跟在他们后面的是好几百个妇女和小孩。妇女们都用头顶着炊具、家具和象牙。在她们后面又有一百多个武士,装备和前面的武士一模一样。从队伍的组成表明,他们显然认为对于来自后面的追杀,比起前面的未知的危险要恐怖得多。事实也正是如此!因为,他们正逃避着白人士兵。这些人曾多次向他们抢夺橡胶和象牙,以致终于有一天他们奋起反抗他们的征服者,屠杀了一个白人官员和他的一小队黑人部队。但后来来了一支更为强大的部队,夜晚攻下了他们的村落,报了前仇,又大肆屠杀一番。可就在这个晚上,一度强大的部族中的这些残存者组织起来,悄悄地溜进了阴暗的丛林,逃向一个未知的自由世界。

不过,他们的流亡对于这些黑人自己来说,虽是一种幸福和自由的追求,可对于他们新家园里的许多原有的野兽居民来说,却意味着惊恐和死亡。三天来,这支小队伍艰苦跋涉穿过未知的、不曾践踏过的丛林腹地,直到最后,在第四天上午到达了小河岸边的一块地方。这里与他们至今遇到过的地方相比,植物生长得不那么茂密。

在这里,他们开始了建筑一座新村的工作。经过一个多月,他们清出了一大片空地,竖起了许多小屋,扎起了防护围栏,种上了大蕉、薯类和玉米。他们在自己的新家园里又过起了他们一如既往的生活。只是,在这里再没有白人,没有士兵,当然也就没有为残酷无情的工头采集橡胶和象牙的事了。

几度月圆,黑人还没有远远越过他们新村周围边界多远,就有几个黑人已经成为老沙保的牺牲品。而且,因为这些凶猛的嗜血猫科动物——狮子、猎豹大批出没于丛林之中,所以,黑武士对于远离村子保护围栏以后是不是安全非常担心。

但是,有一天库龙格——部落首领老孟格的儿子,还是向西漫游到密林的深处去了。他小心地走着,手里细长的长枪时刻作好了准备。长圆形的盾牌牢牢地抓在他左手中,紧贴着他光滑的黑色身体。背上背着他的长弓,盾牌上挂着箭袋,里面装着细而笔直的箭枝。箭头上涂着一种黑而黏稠的油质,从而使它们针刺样的尖头具有致命的毒性。到了晚上,库龙格已经远离了他父亲的村落,可是,他还准备向西走。所以,他爬上了一棵大树的杈丫,在上面搭了一个小平台,就蜷起身子睡了。

而就从这里向西约三英里的地方,喀却克的部族也正沉入梦乡。

第二天一大早,大猿醒来,在丛林里忙忙碌碌地寻找食物。泰山按照自己的习惯向小屋的方向搜寻过去,为的是他到达海岸时,能顺路悠闲地狩猎并填饱肚子。

大猿三三两两地向四面八方分散开,但总是在警报信号声音所及的范围内活动。卡拉在一条象路上慢慢地向东移动着,忙碌地翻动着腐烂的树枝和圆木,寻找多汁的小虫和菌类,直到一个来自模糊黑影的陌生声音引起了它的警觉。原来在它前面有一段五十多英尺的笔直小路,顺着这条绿荫遍布的夹道,它看见了一个悄悄前进的、奇特的、令它恐惧的生物——那就是库龙格。

卡拉等不及多看一眼,转身迅速沿着小路向回走去。它并没有跑,只是按照大猿的方式,在没有被挑逗起来时,与其说是逃走不如说是寻求躲避。紧紧跟在它后面的则是库龙格,这回有了肉食!他认为他可以杀死它,今天就可以美餐一顿了,于是他端起了矛准备投掷。

在小道的一个拐弯处,他又看见了卡拉,它正转上另一段直路。库龙格用力向后举起了矛,他的肌肉像闪电似的在光滑的皮下滚动。然后,他伸臂投出,矛枪飞向卡拉。

一次蹩脚的投掷!它只轻擦过卡拉的一侧。

带着一声愤怒而痛苦的吼叫,这个母猿转向惹恼了它的家伙。同时,顷刻间只听得到处是一阵阵树枝的折断声,这是它的伙伴们匆促赶来弄出的。大猿正从四面八方回应卡拉的呼叫,向出事现场飞快荡来。说时迟那时快,正当卡拉冲过来时,库龙格拈弓搭箭,拉满弓"嗖"一声,一只毒箭笔直地正对这只大猿的心脏飞来,射个正着!卡拉一声惨叫,一个跟头向前栽去,恰好倒在它的同族面前。

又是咆哮,又是尖叫,大猿都朝库龙格涌去。但是,这个机灵的野人却像一头受惊的羚羊一样,在小道上飞窜而去。他多少听说过有关这些凶猛的披着毛发大猿的事,他这会儿只有一个愿望,就是逃离得越远越好。大猿们紧跟在他后面,从树上追着。但是,赶了老远之后,它们一个个都放弃了追逐,而回到悲剧的发生地点。它们中没有一个见到过除了泰山以外的"人"这种动物。所以,它们模糊地感到不解,不知是一种什么陌生种类的生物闯到丛林里来了。

远处海岸边的小屋旁,泰山听见了喧闹声模糊的回响,知道部族中一定发生了什么很不对劲的事,便迅速匆匆地向发声地点奔去。

当泰山到达时,他发现全部族的大猿都喊喊喳喳地围在他被杀害的母亲的尸体周围,他此时的悲哀和愤怒有如排山倒海般难以遏止。他不时地发出憎恨的挑战吼声，紧握着拳头捶打着自己宽阔的胸膛，然后，扑倒在卡拉的身上，嚎啕大哭不止，把他内心令人十分悲悯的寂寞与悲伤倾泻而出。这只母猿是整个世界上，对泰山最爱和最慈祥的生物。失去了它，对泰山来说是前所未有的巨大悲剧。不论卡拉是多么凶猛和丑陋的一只大猿，可对于泰山来说，它是既仁慈又美丽的！对于它，泰山自觉地倾注了一个英国孩子所能给予自己母亲的一切尊崇和敬爱。泰山从来不知道自己还有另一个母亲，因此，他毫无保留地给了卡拉所有本该是属于美丽而可爱的爱丽丝女士的一切，当然，如果爱丽丝女士还活着的话。

泰山经过头一次悲伤的爆发之后，开始控制住自己，向部族里的大猿询问都有谁亲眼目睹了卡拉被杀害的经过。他听了大猿贫乏的词汇所能告诉他的一切。不管怎样，对他来说，这已经足够了。据说是一个陌生的、身上没有毛发的、头上长着羽毛的黑人猿，用一根细细的树枝投出了"死亡"，然后，就像巴拉（猿语，鹿）一样飞也似的逃窜着，向太阳升起的方向而去。

泰山一刻也不等，立即跳上树枝。他知道杀害卡拉的人逃跑的那条弯弯曲曲的象径。显然，那个黑武士只会循着弯曲的小路跑，所以，他就从树枝间直直地走捷径去截住他。

他一边挎着他还不认识的先辈的猎刀，一边的肩膀上斜背着他长长的绳子套索。不到一个小时，他就到达了那条弯曲的象径。于是，他跳到路上，查看了一小会儿那里的泥土。在一条小溪岸边松软的泥土上，他发现了一些足印。他不由得心跳起来，这种足印在整个丛林里，只有他踏出过，只是这里的足印比他自己的大了一点儿。难道他追踪的是一个"人"吗?是和他同一种族的"人"?

在这里,他发现有两条方向相反的印迹,所以,泰山断定他追踪的猎物在回逃的路上,肯定已经跑过去了。就在他查看那些较新的足迹时,有一小片泥土,从一只足印的边沿滚落到浅槽里去了。啊!足印还是非常新鲜的,他的猎物一定刚刚才跑过去。

泰山又跳上了树,飞速而敏捷无声地在上面循着小路向前荡去。他只追了不到一英里就在一块小空地前赶上了那个黑武士。这个黑人猿,手里正拿着一张弓,上面已搭好了一根致命的箭。小空地的对面站着豪尔塔,低着头喷着白沫的嘴里露出了有斑点的獠牙,做出要冲击的样子。这时,泰山正好从上面好奇地观察着在他下面那个陌生的生物。他那样子简直和他一样,只是脸和肤色和他很不同。他的书上画着"黑人",但那是幅呆板无生命的图画,和这个机灵的、生气勃勃的黑家伙是多么不同!

这个黑家伙站在那里,怀里拉满了弓,泰山觉得与其说他是一个"黑人",不如说他更像书上画的"弓箭手"。

"全副武装的弓箭手"(就是书上注明的那样)。

这太有趣了!当泰山发现这一点时,他简直激动得有点忘乎所以。但事情却就在他下面发生了,黑家伙肌肉发达的手臂已经拉开了满弓。豪尔塔正向他冲来,黑人一放手,那支小毒箭就向野猪飞去。眨眼之间它已经射进了野猪鬃毛倒立的脖颈之中。刚刚射出了头一支,库龙格马上就搭上了第二支毒箭,可是还没等他射出,野猪已经冲了上来。这时,黑人只一跳,完全躲开了野猪的攻击,接着用意想不到的速度把那第二支毒箭插进了它的脊背。

然后,库龙格一下子跳到眼前的一棵树上。

野猪转过身来又向它的敌人冲去,可是还没有走上十来步,它就蹒跚地跌倒在黑人的树前。只一会儿,它的肌肉痉挛地抽搐了几下,就躺在那里动也不动了。

这时,黑人立刻从树上溜下来,拔出他身边带着的刀,从野猪身上割下了几大块肉,就在小路中间点起了一堆火,边烤边吃地足足饱餐了一顿,剩下的就丢在了原来的地方。

泰山这时成了一个兴趣盎然的旁观者。在他狂野的胸膛里虽然燃烧着复仇的怒火,但是现在他更想弄个水落石出。他希望多跟着这个野蛮的生物一会儿,看看他到底是从哪里来的。他可以等到这个黑人把弓箭放到一边休息时,再去杀死他。

当库龙格吃完了他的美宴,消失在小道的一个拐弯处以后,泰山悄无声息地从树上跳了下来。他用自己的刀从豪尔塔身上又割下了许多条肉,可他并没有去烤了吃。他见过火,但只在阿拉(猿语,闪电)毁灭一些大树的时候。如今,丛林里竟会有这么一个生物能造出红黄色的火"牙"吞食掉木头,留下了一堆灰烬,这可真让泰山大吃一惊。而且,为什么那个黑武士要把他的美味投进灼热的阿拉里去,他也全不了解。或者可能因为阿拉是弓箭手的一个朋友,所以弓箭手才必须分给它食物?但是,即使如此,泰山也不肯把美食以这样蠢笨的方式毁掉。所以,他就狼吞虎咽地足吃了一顿生肉,而把其余的埋在他回来时可以找到的小路边。

然后,我们的这位格雷斯托克老爷,把他满是血污的手指在大腿上一抹,就按着库龙格——孟格酋长少爷的踪迹追了下去。有趣的是,这会儿在遥远的伦敦,另一个格雷斯托克老爷——格雷斯托克勋爵父亲的弟弟,却正因为烧的肉不够火候,非常不满意地把它退给了夜总会的大领班。而当他宴罢之后,又在银钵子里带香味的水中把他的手指头蘸了蘸,然后用一块雪白的丝绢把手擦干。

差不多一整天,泰山都在追着库龙格,就像一个幽灵似的在他上面的树上游荡。他又看到库龙格两次投出了他的毁灭之箭。一次是对旦格(猿语,鬣狗),一次是对曼纽(猿语,猴子)。在每一次实例中,命中的猎物都立即倒毙,因为库龙格的箭毒既新鲜又致命。

当泰山在树上与他的猎物保持着一个安全的距离,慢慢向前荡去时,他对于这种奇妙的猎杀方法思考得很多。他认为光是那么一个小箭头未必能够很快地就杀死那样一些丛林猛兽。这些猛兽常常是以一种凶猛可怕的撕、扯、抓、抵的方式与它们的丛林邻居打斗着。不,那儿一定有什么神秘的东西附着在木质箭头上,这种东西只要擦伤一下就可以致命,他一定要看个究竟。

这一天晚上,库龙格就趴伏着睡在一棵大树上,而泰山就蹲伏在他上面的不远处。

当库龙格一觉醒来时,他发现他的弓和箭都不翼而飞了。这一惊可真非同小可,他又气又怕,而且,恐惧更甚于愤怒。他跳到树下仔细搜寻了一番,又爬到树上找了个遍。但是既找不到弓箭的影子,也找不到夜间窃贼的踪迹。库龙格吓得目瞪口呆,他的标枪已经投向卡拉找不回来了。现在他的弓和箭也丢了,可以防身的只剩下一把刀子。这会儿,他唯一的希望就是,爹妈给他的两条腿,要多快有多快地把他带回爸爸孟格的村子。不过,如今他能肯定离他的村子已经不会太远了,所以他就大步流星地顺着小路赶去。

这时人猿泰山也从几码远的一簇非常浓密的树叶中钻了出来,并很快地从树上荡了过去,紧紧追在黑人的后面。

其实,库龙格的弓和箭都被安全地绑在一棵高高的大树顶端。大树下部泰山用刀削去了一大片树皮留作标记。同时这棵大树的一个大枝被从根杈部切了一半,挂在那里,约有五十英尺高。这样一来,泰山就在丛林里,给他的藏物处留下了两处明显的标记。

当库龙格毫无警觉地继续着他的旅行时,泰山几乎一直就在他的头上。泰山右手拿着他的绳套,随时准备好执行他的复仇宰杀行动。泰山所以要拖延些时间,是迫切地想要确实知道黑武士的目的地。现在他的机会终于到来了,因为他已经可以看到前方有一大片空地,在它的一边有许多小"巢穴"。

泰山一定得立即下手,不然,他的猎物就会逃脱了。泰山的生活历练已经教会他,面对紧急情况时,在决定和行动之间没有思考的余地。所以,当库龙格一走出丛林的浓阴以后,只差五六步就进入开阔地时,一个绳套猛然就飞到他的脖子上。

人猿泰山把他的猎物拉得很快,以至于库龙格的叫喊还没有喊出来就被勒在他自己的喉咙里了。泰山向怀里一把一把地拉着那个拼命挣扎着的黑家伙,直到他吊起在半空里,然后,泰山爬上一个大树枝,把那个还在猛烈摆动的罪有应得的家伙拖上了青葱的树荫之中。在这里,他把绳子拴牢在一棵大树枝上。然后,泰山爬下来拔出刀,往库龙格的心脏刺了一刀,终于为卡拉的无端被害报了仇雪了恨!

泰山仔细观察了黑家伙好一阵子,他从来就没有见过"人类"。那把带鞘的刀和带子一下子就引起了他的兴趣,他立即把它们据为己有。一只铜脚环也让他动心,于是也把它移到自己的脚上。他查看了那前额和胸前的纹刺,也有点羡慕。他对那磨得锋利的牙齿更觉得好奇。他端详了好一阵那些羽饰,接着也把它们没收了。然后,就准备去干他一天的"公事"了,我们的人猿泰山现在饿了。现在,眼前就有肉可吃,一个已经死了的肉体,按照丛林的道德是允许他吃的。

那么我们如何去判断这件事?按什么标准?这位白人猿的头脑、心灵和身体都是一个英国绅士的,而他却是在野兽中间被抚养成长的。

托勃赖和他曾经互相憎恨过,他也是在一场公平的较量中杀死了那个公猿。但是,他脑子里可从来没有要吃它肉的想法。他是不是和我们对吃人习俗抱有一样的反感?那么,库龙格是谁?他为什么不能像吃豪尔塔或巴拉一样理所当然地吃掉它?难道它不就是丛林中无数野兽中的一个?他们不是彼此互相捕杀充饥吗?

忽然,一种疑虑让他住了手。他的书上不是告诉他这是一个"人"吗?"弓箭手"不也就是一个"人"吗?"人"还吃"人"?老天!他无法知道,为什么他是这样踌躇不安!他又一次试图下手,但是一种说不出的恶心使他无法抗拒。他简直不知为什么。总之,他只觉得他绝不能吃这个黑家伙的肉。这是因为,多年来的天赋本能已深入他潜在的思想,使他免于侵犯那遍布世界的、他却一无所知的天条!

  泰山终于把库龙格的尸体放到地上,然后解开了绳扣,转身又进入了树丛。

十
可怕的幽灵

隔着一片耕地，泰山从一个高树枝上望到村里一些茅草小屋。他看到一片树林与小村接壤，于是向那里荡去。这时，他被一种想了解自己同类的好奇热情所驱使，想知道更多有关他们的生活方式，以及想看看他们居住在其中的那些小屋。

他在野兽中间的野蛮生活，使他除了敌对观念外，再没有考虑其他关系的余地。他不会因为与这些黑人长得相似，而产生他在他们中间将受到欢迎的错误想法。泰山当然不是个多愁善感的人，他还不懂得什么是人类所谓的"友好"。一切他部落以外的东西，都可能是他的死敌。只是除了极少数，如大象吞特就是明显的一个例外。而且，他也知道这一切并非由于怨恨或恶意，厮杀归根到底正如他理解的，仅仅是野蛮世界的一种生存法则，很少是为了原始的乐趣，绝大部分是为了捕猎和宰杀。所以，他也尊重别的动物同样的愿望，即使这种愿望是以他为捕猎对象。

他奇特的生活使他既不多愁善感，也不嗜血。尽管他从厮杀中能得到一些快乐。当他厮杀时，从他秀丽的嘴唇上发出欣慰的笑，并不表示那是天生的嗜血。他经常为了食物而厮杀。但作为一个人，他偶尔也从厮杀中感受到一种乐趣，这是任何别的动物所没有的。因为,在所有动物中,只有"人"还保留着只是为了某种乐趣而从事厮杀活动。不过当他为了复仇和自卫而进行杀戮时,他也没有歇斯底里的疯狂,因为这是一本正经的事,容不得半点轻浮。这也就是他现在的态度。所以,当他小心地接近孟格的村庄时,他已经作好了充分的准备,一旦被发现就要拼个你死我活。他蹑手蹑脚地前进着,而且,库龙格已经教会了他对那种能够准确、迅速致人于死地的小尖木片要极为留意。

最后,他终于来到了一棵大树上。这棵大树枝叶非常茂密,它上面还挂满了一圈圈巨大的藤蔓植物。他就在村子上方这个几乎密不通风的树荫中向下俯瞰着,对这里一切新颖而陌生的生活无不感到好奇。街道上有光着身子的儿童在奔跑和玩耍。一些妇女在粗的石臼里磨着晒干了的大麦;另一些则用面粉在制作糕饼。他还能看到田地里也有妇女在锄地、除草和采集什么东西。她们都在臀部围着用干草做的环形遮挡物。许多还戴着铜脚环、臂环和手镯。在一个个黑黝黝的脖子上还挂着金属丝做的圈儿,有的甚至还戴着鼻环。

泰山带着不断增长的好奇,观察着这些陌生的生物。透过模模糊糊的树荫,他看到了几个男人,而在开阔地最远的边沿地带,他时不时地可以瞥见武装的战士,他们显然是在保卫村子,以防敌人攻击时引起意外的惊恐。他也注意到,只有妇女在工作。看不到男人在田里耕种或从事村子里的家务劳动。

最后,他的目光落在了一个在他下方的妇女身上。她身前放着一口架在矮火上的小锅,里面煮着起泡的稠糊糊的红色东西。在她的旁边放着一堆木箭,她把木箭的尖头都在煮沸的物质里蘸一蘸,然后,把它们放到身旁另一边树枝做的木架子上。泰山完全被她所干的事迷住了。原来这就是弓箭致命的秘密!他还注意到那个妇女特别小心避免接触这种物质。一旦她的手上溅上了一点,她就把手指放进一只盛水器皿里,然后用一把叶子把手上的污点擦掉。泰山还不知道什么叫毒药,但是他机敏的理性告诉他,就是这种东西具有致死的杀伤力,而不是小木箭,它只是把这种东西带进受害者的体内罢了。

泰山是多么希望弄到一些这种有杀伤力的小木片!只要这个妇女能离开一小会儿,他就能从树上跳下来,拿上一把。在那个妇女喘几口气之前,他再跳回到树上去。

就在泰山思索着什么办法可以吸引这个妇女的注意时,他听到传来了一声狂叫。他抬头看见了一个黑武士,刚好就站在他一个多小时以前杀死杀害卡拉的凶手的那棵树下。这个黑人一边喊叫着,一边在头上晃动着他的标枪,同时又时时指着前面地上的什么东西,村子立刻就喧闹起来。武装的男人从一个个小屋里冲了出来,疯狂地飞跑着穿过开阔地奔向那个激动的卫兵。接着跑去的是一连串的老人、小孩和妇女,一会儿工夫村子里的人就都跑空了。

人猿泰山知道他们发现了他猎杀的那个黑人的尸体,但是,这件事却远没有现在村里没有留下什么人阻止他弄到一批毒箭更使他高兴的了。他很快就悄悄地溜到熬毒药的锅旁。有一小会儿,他一动也不动地站着,用敏锐的目光扫视着栅栏内的每一个角落。眼下他看不到一个人,他的目光停留在附近一间开着门的小屋上。他忽然想看看屋子里是什么样的,于是就小心地走近这座低矮的小茅草屋。

有那么一阵子,他站在屋外,仔细地听着。当听不到里面有声音之后,他就溜进这个半黑的小屋子里去了。屋里墙上挂着武器,有长标枪、形状奇特的刀和两块狭长的盾牌。小屋的中间是一架煮食物的锅。屋子的最里边有一些干草,上面铺着一张席子,那里显然是主人的卧榻,地上还摆着几根骨头。泰山摸了摸这一件件东西,然后,拿下了长枪在鼻子上闻了闻,因为他习惯了用嗅觉和他那训练有素的鼻孔去了解一切。他决定也要弄这么一条长长的尖棍子,不过这一次他是带不走的,因为他还想要拿那些箭。当他从墙上取下来一件件武器以后,就把它们放在屋子中间堆成一堆,又把锅子翻过来扣在上面,在这上面他放了一个露着牙齿的骷髅。在那个骷髅上,他还绑上了已死的库龙格的头饰。他弄好了这一切,然后站在一边端详了一阵他的杰作,不由得咧嘴笑了起来,人猿泰山十分欣赏他弄的这个玩笑。

可是,现在他听到了外面吵吵嚷嚷的声音,而且还有扯着嗓子的悲恸号叫和众多的哭泣声,他不觉吓了一跳。是不是他待得太久了?他一下子就跳到门口,从这里顺着村里那条街向村子的大门望去。这时还看不见人影,虽然他已经清楚地听到了他们穿过耕地走来的声音。他们一定是很近了。

泰山一个箭步就跨过空地,来到那一堆箭跟前。他用左腋尽可能多地夹了一堆,然后一脚踢翻了那口熬药的锅,刚好赶在头一个土著跨进村子大门之前,蹿上头顶的大树,躲进了浓叶丛中。然后,他转过身观察着下面的动静,就像某些野鸟一样,摆出一副只要出现一个危险信号就展翅飞去的姿势。

土著这时已挤到大街上,四个人抬着库龙格的尸体,后面跟着发出怪声号叫和哭泣的妇女们。他们正缓缓走向那间恰巧就是泰山刚刚进行了一番破坏的库龙格的小屋。

五六个人刚走进这座房子,立刻又发狂地冲了出来,发出喊喊喳喳的吵闹声。他们激动不已地互相打着手势,比划着、喋喋不休地交谈着。然后,有几个武士走近小屋,朝里面窥探着。最后,有一个胳臂上和腿上都戴着金属装饰物、胸前还挂着一串人类手骨做的项圈的老人,走进了小屋。

他就是酋长孟格,库龙格的父亲。

有好一会儿大家鸦雀无声,后来孟格走了出来,他难看的脸上流露出交织着愤怒和神秘的恐惧表情。他向周围的武士们说了点什么,这些人就向四处跑去,匆匆地搜寻着每一座小屋和栅栏里的各个角落。不过,搜寻一开始,就发现了那口翻倒的锅子以及被偷的毒箭。除此以外,没有别的发现。不大一会儿,这群野人就完全被吓坏了,围在他们的酋长身边。可是,孟格自己也无法解释发生的这一切。库龙格的身体被发现时还有温热,而且,就在他们田地的边缘———一个在村子里都能听得到喊声的地方,在他父亲的家门口,他却被用刀戳死了,又被剥去了头饰,这已经够神秘莫测的了。后来又在村子里,在死去的库龙格自己的小屋里发生了一些更可怕的事。这不能不使他们的心里充满了沮丧和惊恐,在他们简单的头脑里都在默默祷告祈求那个最可怕的神秘力量。他们三三两两地低声谈论着,大圆眼睛还不时地向他们背后投射出恐惧的目光。

人猿泰山从蹲伏的大树高处观察了他们好一阵。对于他们的好多行为他都无法理解,因为对于"神秘"他一无所知,而对于各种恐惧的感情,他只有模糊的概念。

  太阳这时已经升到中天,可是今天泰山还没有喂饱他的肚子呢!而这里离他存放剩余美味野猪肉的地方还有老远老远。所以,他转身离开了孟格的村子,消失在丛林浓密的树荫之中。

十一
猿之王

泰山回到自己的部落，天还没有黑。尽管此前他曾经停下来，挖出了他昨天埋下的野猪肉，狼吞虎咽了一顿，又从一棵树的顶上找出了他藏在那里的库龙格的弓箭。他从喀却克部落中的树枝上跳下时，真可说是满载而归。他志得意满地叙述他的冒险经历并展示他的掠获物，而喀却克却独自咕咕噜噜地走开了。它忌妒它群中这个不同凡响的成员，在它那个小坏脑瓜里，总在搜寻着什么借口以发泄它对泰山的憎恶。

第二天天刚亮，泰山就开始用弓箭练习起来。一开始几乎是箭箭落空，但后来他到底还是掌握了这种小箭，达到相当准确的程度。还不到一个月工夫，他已经不是一个技艺一般的射手了。

部落继续到海岸附近搜寻食物去了。人猿泰山也暂时改变了他的射箭练习，进一步去研究他父亲那点不多的书籍珍藏。

也就是在这期间，我们年轻的英国爵士，在小屋一个柜子里找到了一只小金属盒子。那钥匙就插在锁上，没用一小会儿的琢磨和试验，他就成功地打开了这个小容器。在这里面，他发现有一张褪色的圆脸年轻男人的相片，一个金制的心形小盒子，上面镶着宝石，连着一条细细的金链，还有几封信和一个小本子。

泰山把这一切观察了老半天。

在这些东西中,他最喜欢那张相片了,那张脸笑眯眯的,开朗而坦率。其实他不知道这就是他的父亲。那只心形小盒也引起了他的注意。他把它连同那条金链子一起挂在了脖子上,就像他曾经看到黑人脖子上普遍挂装饰物那样模仿着。那小石头在他光滑的褐色皮肤上闪着斑斓的光芒。那几封信,他还不大能辨认,因为,他对于草写字体知道得很少,所以,又把它们放回了盒子,和相片放在一起,然后又把注意力转向了那个小本子。在这个小本子里,都是精美的字体,但是尽管这里的小甲虫他都很熟悉,可是它们出现在这里的排列与组合,对他却是完全陌生的。泰山早就学会了使用字典,然而令他大失所望和迷惑不解的是,字典这一回却全不管用。写在这里的每一个字,他在字典里都找不到。所以,他只好将小本子又放回到金属盒子里,只是下定决心以后一定要把它弄个水落石出。这时他并不知道,在这本小书里却保藏着他出身的谜底,他谜一样身世的答案。这本小书就是约翰·克莱顿即格雷斯托克爵士的日记,不过按照他平常的习惯,它是用法文写的。

泰山又把那只盒子放回到柜子里,从此以后他父亲那张微笑的、表情坚毅的脸常常浮现在他脑海里。他还产生了一个牢固的想法,总有一天要揭开小书里那些奇怪字的秘密。只是现在他手边还有些更要紧的事要做,他的箭已经用光了,他要作一次旅行,到黑人的村子里再去补充一些。

第二天一大早他就上路了。他走得很快,还不到中午就来到了村子外的开阔地。他又一次找到了那棵大树上的位置。从这里他又看见了妇女在田野和村子的街道上忙碌着。而且,那只熬着毒药的锅也还在他的下面。

有好几个小时他都在等待着机会跳下去,悄然地完成他来此的目的,把箭弄走,但一直也没有发生什么事情能把村里人从他们家里引开。天色已经晚了,泰山仍然趴伏在那个在毒药锅旁毫无察觉的女人上面的枝叶丛里。

现在,田里工作的人回来了,狩猎的武士们也从丛林里出现了。当他们都进到栅栏里以后,大门就关上了,门闩也插上了。于是,村子里到处都升起了炊烟。每一座小屋前几乎都有妇女在忙着烧煮着什么,同时,人们手里或拿着大焦饼或木薯糕。正在这时,突然从开阔地的一边,传来了一声呼喊。

泰山惊讶地向那里望去。

这是一伙迟归的狩猎者,他们来自北方,他们正半推半拉着一只拼命挣扎的动物。当他们走近大门时,大门一下子就打开了,迎接他们进来。然后,当人们看清捕获的猎物时,一阵野蛮的欢声响彻云霄,原来他是一个男人。

他被拖拉着,一面还抵抗着。当他走到村里的街上时,妇女们、孩子们立刻用棍子和石块向他发起了猛烈的攻击。连人猿泰山,这个丛林中年轻的野蛮动物,都有点奇怪他们怎么会对自己的同类施行这样残忍的暴行。

在所有的丛林居民中,只有猎豹希塔才会撕扯它的猎物。而其他动物的规则,是给予他们的捕获物一个宽大而仁慈的死亡。至于人类的方式,泰山只是从书本上得到一些零星片段的知识。

当泰山跟踪着库龙格穿过丛林时,他多么希望能来到一座有装着轮子的小房子的城市。那里还有一颗"大树",喷云吐雾地竖立在一座屋顶上,或者能走到一处漂满大建筑物的海边。他学过这些建筑物各种各样的名字,什么航船啦、小艇啦、汽轮和货船啦,等等。可是,令他大失所望的是,这里不过是一群黑人可怜的小村庄,就隐藏在他自己的这座丛林里,而且,没有一座房子赶得上他在远处海滨的小屋。他还亲眼看到,这些人比大猿还坏得多,野蛮和残忍得就像沙保一样,泰山不由得对他们——自己的这些同类鄙视起来。

现在他们把这个可怜的俘虏绑到村子中的一个大柱子上。他就在孟格小屋的前面,在这里武士们围着他形成了一个呼喊和欢跳的圆圈,挥舞着闪光的猎刀,比划着投枪。在他们的外面还有一个更大的圈,这里都是蹲着的妇女,一面喊叫着,一面击打着面前的鼓。它让泰山想起了人猿的鼓宴,从而他也就猜得到他们要干什么了。他甚至觉得他们会在那个俘虏还活着的时候,就扑过去把他生吞活剥地吃掉。而他喀却克族的大猿们却是从不会这样干的。

武士们围着吓得缩成一团的俘虏,圈子越跳越小,他们似乎沉醉在野蛮而疯狂的鼓声里。突然,一支投枪伸向前去,直刺进那个俘虏的身体中,这是一个信号!随之而来,五十支投枪跟着刺去!于是,眼睛、耳朵、胳臂、腿都被刺穿了,这个疼得扭曲了的可怜的身体,每一寸都是残酷枪手们的靶子。

妇女和孩子们也随着欢呼雀跃起来。

战士们舔着他们丑陋的嘴唇,正等着到来的一场盛宴,竞相展示着他们野蛮和令人憎恶的残忍与无情,不断地折磨着那个已经失去知觉的囚犯。

这会儿泰山终于等到了机会。因为，所有的眼睛都注意着这场令人毛骨悚然的杀人场面。而且，太阳早就落山了，没有月亮的黑夜已经代替了白天。只有狂欢现场不间断的火光，照射着那不间断的热闹场景。

身手敏捷的泰山轻轻地跳到村子街道一头松软的地上。这一次他带了一束细藤条，把所有地上的箭都收拢在一起，一点也没费力就把它们结实地捆成了一捧。可是，就在他要转身离开时，一股抑制不住地恶作剧的念头又浮上心头。他向周围搜寻着可以戏弄他们一下的东西，好让这些奇怪而可笑的家伙再一次知道他的到来。他把他捆好的箭放在了大树脚下，顺着街道的一边，在黑暗中又爬到他上一次来过的那座小屋里。尽管这里一片漆黑，但是他很快就摸到了他想要找的东西。而且，毫无耽搁地转身向门口走去。可是，就在他即将迈出门口的时候，他忽然听到了一阵走近的脚步声。一会儿的工夫，一个妇女的影子挡住了屋门。

泰山悄悄地退到了屋里面的墙边，手不由得握住了他父亲那把锋利的长猎刀。这个妇女很快地走到屋子当中，在这里她停了一会儿，用手摸着搜寻她要找的东西。显然，东西似乎已经不在老地方了，因为她摸着摸着离泰山站的地方越来越近。泰山几乎都能感觉到她裸露身体的温度。她的手直朝泰山的猎刀摸去。就在这时，她又转向另一边，然后，她在咽喉里"啊"了一声，表示她终于找到了她要找的东西，紧接着转身离开了小屋。当她走到门口的亮处时，泰山看到她手里拿着的是一个煮东西的罐子。

泰山紧跟着走了出来，走出屋门时，他看到村子里许多妇女从各个小屋里进进出出，手里拿着各种锅和罐子。这些器具里大都装了水，放到一堆堆围在死刑柱四周的火上。

泰山挑选了周围没有人的时候，很快跳到村街另一头他放箭的大树下，还像上次一样把毒药锅掀翻。然后，他轻柔得像猫一样跳进丛林低处树叶浓密的枝条上。他向前攀登到一个高处，找到一块树荫空隙，从这里他可以看到下面地上的情景。这时他正看见妇女们忙着准备吃的，而男子们在狂跳一阵的疲劳之后，也正在休息。村子正笼罩在一片相对平静的气氛之中。

泰山把他从小屋里偷来的那件东西高高举在手中，以他多年投掷水果和可可果练就的准头，直向野蛮人群投去。那东西落在他们中间，不偏不倚正好打在一个武士的头上，一下子就把他砸倒在地。然后它又向妇女们滚去，恰巧停在那具已被杀死的尸体旁。刹那间，人们都愣住了，接着几乎一致地，像开花一样四散向他们的小屋奔去。

原来那东西是一个骷髅，它正在地上龇着牙齿向他们望去。这具从天而降的玩意儿，简直就是一个奇迹，它正好激起黑人们对上天的无限恐惧感。

就这样我们的人猿泰山不顾他们的惊恐和慌悚，重新表明了在这个村子周围的丛林里，确实潜伏着某种看不见的、诡秘的、对他们不吉利的神力。后来，他们发现了翻倒的毒药锅和再一次大量丢失的毒箭，这件事似乎使他们明白，他们把自己的村子安置在这里，大概得罪了丛林里某位伟大的天神。从此以后，大树底下天天都供上了食物，箭和毒药锅也从这里搬开了，为的是讨好他们不知道的那个全能的神灵。

但是，恐惧的种子已经深深地种下了，只是人猿泰山并不知道，他已经为自己和他的部族将来的不幸留下了祸根。这天晚上他睡在离这个小村子不远的地方。第二天一早，他慢悠悠地上路回家了，一路上搜寻着猎物。可是，他只找到了有限的浆果和昆虫。就在他已经饥肠辘辘的时候，在一棵大树干旁，他被吓得呆住了，因为，他一抬头刚好看到离他不到二十步的路中间，正站着一头沙保。它那双黄色的大眼睛，带着既邪恶又淘气的光芒正注视着泰山。它趴伏着，血红的舌头不时地舔着正流着口水的嘴唇。它的肚腹紧贴着地面，向前缓缓蠕动着。

泰山倒是没想逃跑，也许应该说这个机会来得正好，事实上，他已经想了好多日子啦！何况他现在已经有了比一根草绳更好的武器。他很快从肩上取下了他的弓，搭上一支毒箭，就在沙保蹿起扑来时，那支小箭在半空里射中了它。在这同时，泰山早已跳到一边。等这头大猫前爪扑空落到他旁边时，另一支致命的小毒箭却插进了它的腰部。这头野兽大吼一声，转身又扑了过来，可是第三支毒箭正好又插到了它的眼睛里。不过，这一次它离泰山太近了，以至于他正与这个猛冲而来的躯体侧身而遇。

人猿泰山一下子就被撞倒在敌人巨大的身体之下，但他也同时把闪光的猎刀直插到了沙保的身体里。有那么一会儿，他们就躺在那里。然后，泰山意识到躺在他身旁的这个大家伙再也没有力量去伤害任何人了，才好不容易从这具沉重的躯体下挣脱出来。当他站起身来，注视着显示他技能和气力的战利品时，一股狂喜的冲动流遍他的全身。他不由得意气风发起来，他感到无比的自豪。他把一只脚踏在敌人曾经那么有力的身体上,把头向后一甩,仰天一声长啸,就像得胜的公猿那样,发出胜利的可怕的挑战吼叫。于是丛林充斥着野蛮的耀武扬威的回音,一时间连鸟儿也静了下来。大动物和猛兽们也偷偷地溜走了,因为在整个丛林里,很少有谁敢和凶猛的大猿找麻烦。

可就在这同时,另一个格雷斯托克爵士,也正在伦敦的英国上院向他的同类发表演说,不过,他的声音太柔和了,并没有谁为此而发抖。

沙保的肉并不好吃,对人猿泰山来说也并不例外。但是,饥饿往往能把难吃的东西也变成美味。所以,没多久泰山就饱餐了一顿。吃饱了就想睡,可是,泰山无论如何首先还是要把狮子皮剥下来。因为,这是他盼望已久的愿望。平时他就在别的小动物身上下过手,所以,他麻利地剥下了狮子的大毛皮。干完了这件事,他就带着战利品爬上了一棵大树的高枝,在这里他找到一处安全的杈丫,趴在那里进入沉沉的梦乡。

一半是由于太疲乏,一半是由于吃得很饱的缘故,泰山第二天醒来时已是中午。他直接就向昨天留下的沙保尸体走去,但让他大为恼火的是,骨头上的剩肉完全被丛林中别的饥饿动物吃光了。

在树林里,经过半个多小时轻松的行进,泰山侥幸看见了一只小鹿,还没等到它发现正有一个敌人逼近时,一支小小的毒箭已经射进了它的脖颈。毒性发作得很快,它只向前跳了十来步,就一头栽倒在地上死去了。这一次泰山又得以饱餐一顿,不过吃饱以后,他并没有睡觉,却急匆匆地向他离开部落时的地方走去。当他一找到喀却克族的大猿,他就自豪地向它们展示了母狮沙保那美丽的兽皮。"看哪!"他喊着,"喀却克!看伟大的杀手泰山干了什么吧!你们之中有谁杀死过努玛公狮的一头部下?只有泰山才是你们中最了不起的,因为泰山不是大猿,而是——"说到这他就说不下去了。因为,在猿语中没有"人"这个词,而泰山虽然能写出英文"人"这个字,但他却不知如何发出音来。

部族这时都聚拢过来,围观的大猿证实着泰山勇猛超群的狩猎成果,倾听着他的叙述。只有喀却克缩在后头不愿过来,它心里压着忌恨和气愤。忽然,这个大猿的小脑瓜里产生出一种什么邪恶的念头来。它气急败坏地大吼一声,一下子就跳到聚在一起的猿堆里去。它用两个有力的拳头,又是捶又是打,还没有等到其余的大猿安全地逃上树林的高处,它已经连死带伤打倒了十一二个同伙。它口里喷吐着白沫,尖叫着,发狂地大发雷霆,四顾搜寻着,想找到它最憎恨的目标。后来,它终于看到泰山就坐在附近的一根树枝上。

"滚下来,泰山!你这个大杀手!"喀却克尖叫着。

"滚下来,尝尝你爷爷的拳头!难道大斗士一觉得有危险就飞快地躲到树上去吗?"接着喀却克就把大猿所有辱骂和挑衅的词汇都抖了出来。

泰山终于轻轻地跳到地上。这时全部族的大猿都在屏息地从高枝上观看着。喀却克一面咆哮着,一面向比它矮小得多的敌人发起攻击。它距泰山只有六七英尺远,它宽大的肩膀上,长满了一块块大疙瘩肉。它的短脖子就像一整块肌肉的铁板,从脑壳的下部向后伸出,从而使它的小脑袋活像安在一堆大的肉山上,向前突出着。它张开咆哮着的上唇,露出了两颗好斗的獠牙,血红的小眼睛闪着邪恶的光芒,流露出既可怕又疯狂的表情。

这时泰山正等着喀却克的攻击。尽管他是蛮有气力的,可是他不过六英尺高的个头和圆润的肌肉看起来却远不足以应付他面临的严峻考验。他的弓和箭早被放在他向同族人猿炫耀狮皮的那棵树上了。这时带在他身边的只有那把猎刀和他超常的智慧,用来抵挡这个凶猛有力的敌人。当喀却克咆哮着向他冲来时,我们的格雷斯托克爵士已经从鞘子里抽出了他的猎刀。他发出了一声令人毛骨悚然的挑衅回应,就跟他面对的野兽一样,迅速地迎上前去。他非常敏捷地躲开了向他搂过来的毛茸茸的手臂。而就在他们的身体几乎要撞在一起的时候,泰山抓住了喀却克的一只胳膊,闪身轻轻跳到一旁,同时趁势把猎刀一下子深深直插进喀却克心脏的下方。

可是,就在他要把猎刀抽出来时,公猿勇猛有力的手臂猛地一扭就把泰山抓猎刀的手甩到一边去了。喀却克照泰山的头部猛地拍下去。如果这一掌打准的话,泰山的一半脑壳准会被打碎。不过"人"到底也很敏捷,他躲过大猿的拳头后,就顺势紧握拳头在喀却克的心窝上狠狠地给了沉重的一击。一半也是由于那致命的刀伤使喀却克大伤元气,这只大公猿踉跄了两步,但它还是拼命挣扎起来,甩脱了泰山紧握的手腕。喀却克向对手可怕地一抓,把泰山拉了过来。它拼命要把泰山拉近,用自己的獠牙搜寻着泰山的喉咙,而我们年轻的爵士却使劲撑着,掐着敌人的脖子,不让喀却克的獠牙咬住他光滑的皮肤。

他们就这样搏斗着,一个要用自己厉害的牙齿咬断对手的

年轻的格雷斯托克爵士成了大猿的新王！

咽喉;另一个则要用他有力的双手永远掐住对方的气管,并把它的血盆大嘴远远推开。

终于,起先占优势的大猿,气力在慢慢地减弱。这只野兽的獠牙再也难向泰山的咽喉挪近一寸了。一阵猛烈的颤抖之后,大公猿巨大的身体终于无力地跌倒在地上。

喀却克一命呜呼了!

泰山趁机抽出了猎刀,它已经给他立下了汗马功劳,因为这把猎刀已经使他多次战胜了远比自己更强有力的敌人。现在人猿泰山最终再一次把脚踏在了战败敌人的脖颈上,声音回荡着穿越树林,吼出了那尖利而野蛮的征服者的吼叫。

从此,年轻的格雷斯托克爵士成了大猿的新王!

十二
人的理性

泰山的部落里,有一个时时觊觎泰山权威的家伙,它就是托勃赖的儿子脱克。不过,它很害怕新王那把锋利的猎刀和他那些能致死的毒箭,所以,它只能做些小动作和用气哼哼的态度去表示它的反对。泰山很明白,脱克是在等待机会,好通过突然的反叛袭击,从他手中夺走王权,因此,他也时刻处于警惕之中。

在这个小群体中,有好几个月生活仍像往常一样,只是泰山作为一个猎手,他更多的智慧和能力使大家的生活比以前丰裕了些。所以,它们大部分都对统治者的改变表示满意。晚上,泰山领着它们来到黑人的田里。在这里,它们的领导者以不同凡响的聪明警告它们,只按需要就食,不吃就不要糟蹋,不要学曼纽猴子或多数大猿所干过的那样。这样一来,虽然黑人们对农田经常被偷很生气,却没有丧失继续耕种的勇气。

在这期间,泰山多次夜间溜进村里去补充毒箭。他很快就注意到,他越过栅栏通向村里通道的那棵大树下,竟然经常放着一些食物。过了一些时候,泰山终于开始试着吃这些食物了。这些被恐吓过的土著,发现他们供奉的食物经过一夜丢失了,不由得更加惊慌和恐惧起来。在他们看来,摆出食物供奉神是一回事,而真的来了什么神秘的幽灵并把它们吃掉,可是另外一回事。这种事他们还从来没有听说过。这样一来,在他们那迷信的脑海里,就蒙上了一层说不清的恐惧。不仅如此,毒箭不时丢失和一只看不见的手一再闹出的恶作剧,使他们在这个新居住地的生活,陷入了一种不堪重负的状态。现在,酋长孟格只好和一些头头讨论放弃这个村子,到丛林中另觅新居了。

如今,黑武士们狩猎,或者为村子寻找新址时,已经越来越向南深入到丛林的腹地了,就连泰山的部落有时也遭到这些游荡猎人的侵扰。现在这座安宁、阴沉寂静的原始丛林也被新的陌生呼叫扰乱。同时,对于鸟类和野兽来说,这里都不再是一块净土,因为"人"来了。过去,当猛兽日夜走过丛林时,它们那些弱小的邻居只不过从附近逃开而已,一旦它们走过又会窜回来。但是,现在的人类却不同了。当他们到来时,许多大一些的野兽几乎立刻离开了这一地区,即使不是永远也很少返回。就是大猿们也是如此。它们逃避人类,就像人类逃避瘟疫一样。

有一段时期,泰山部族一直在海岸附近游荡。因为它们的新头领厌恶任何永远离开那座充满宝藏小屋的想法。可是,当部族里很多大猿都看到大量黑人,来到一条它们曾经世代饮水的小溪边,并在那里的丛林里清出一片空地,建起了一座座小屋时,大猿再也不愿留在那一带了。泰山只好带领它们一再前进深入内陆,寻找一块至今人迹罕至的地方。不过,每个月圆的日子,泰山总以最快的速度从摇摆的树枝上荡回到小屋,和他的书待上一天,并且趁机补充一下毒箭。可是,现在他要弄到毒箭越来越困难了,因为,现在黑人总是在晚上把他们多余的箭藏在仓房或居住的小屋里,因此泰山就不得不在白天去搜索黑人们究竟把箭藏在哪里。有两次,当晚上主人在席子上熟睡的时候,他偷偷地溜进小屋,把武士身边的毒箭偷走。但是,他知道这个方法太危险了。所以,他开始使用那根能致命的长绳套,悄悄地把狩猎的武士连同他们的箭一起套住,然后剥光他们的武器和装饰品,在夜神的注视下,从高树上把尸体扔到村里的街道上。

这些变了花样的恶作剧,再次引起黑人们的惊恐。要不是泰山每次的"访问"总要间隔几个月,从而常常使他们幻想着这可能是最后一次的话,他们早就又要放弃新居了。

黑人们至今还没有来到远处岸边泰山的小屋。但是,人猿泰山总在担心中生活,害怕当他和部落走远时,黑人会发现这座小屋,并毁坏他的珍宝。所以,他想方设法待在他父亲小屋周围的时间越来越长,也越来越少地和部落待在一起了。结果,他的部落由于他疏于管理而开始发生不少麻烦,部落里的争吵和纷争多了起来,因为这些事只有"王"才能使其平息解决。最后只好由一些老猿向泰山提了出来,因此有一个来月,泰山不得不一直和部落待在一起。

其实,大猿中"王"的事情并不是多么繁重和费力。例如,可能一天下午撒卡来抱怨老芒哥偷去了它的新娘。于是泰山就把当事人都叫了来,要是这个妻子宁愿跟了芒哥,那就算了;要是老芒哥愿意把自己的一个女儿给撒卡作为交换,也能平息。不过,无论他怎样裁决,大猿们都是接受的,而且总是满意地回到它们的居处。塔那来了,它一面尖叫着跑来,一面用手紧捂着身体一侧流血的伤口,抱怨说丈夫贡托无情地打了它。接着贡托就被叫了来,于是贡托又告状说,塔那太懒,不愿给它弄核果和甲虫吃不给它搔痒。于是泰山就把它俩都骂一顿,然后威胁贡托说,如果它再敢虐待塔那就叫它尝尝那致命小箭头的滋味,再逼着塔那答应以后要尽它做妻子的职责。

日子就这样过着,家庭琐碎纠纷占去了大部分时间。不过如果对这些小事不加处理,结果最终可能导致更大的纷争,甚至部落分崩离析。可是泰山对这些事实在有点厌倦了,他发现当王反而剥夺了他的自由。他怀念那座小屋、阳光普照的海洋和小屋里凉爽的空气,更怀念那些永远浏览不完的书籍。

随着年龄的增大,他发现自己离部落成员越来越远,它们的兴趣也和他日益悬殊。它们既跟不上自己的步伐,也不能理解人类灵活的脑海里回旋的那些有关奇妙事物的梦想。它们的语汇是那样贫乏,以致泰山无法和它们交流许多新的道理,以及他在如饥似渴地阅读后打开的宽广思想境界,更无法让它们了解在他灵魂深处时时跃动的野心。

在他的部落中,他也不像以往有许多朋友了。一个小孩子可以在许多陌生而头脑单纯的生物中找到伙伴,可是对于一个成人来说,必须有相似的智力水平才能有协同一致的交往。

要是卡拉还活着,泰山会为它牺牲一切而留在它身边。但是它现在已经不在了,而他儿时玩耍的伙伴,现在都已经长成凶猛而粗暴无礼的野兽了。因此,他宁愿躲进他那宁静和平的小屋,放弃当一群野蛮生物的令人厌烦的领导。托勃赖的儿子脱克对他的忌妒和憎恨,多少抵消了一些他要放弃大猿王权的愿望。因为,像泰山这样一个坚强的英国人,是绝不肯在如此可恶的敌人面前自愿退缩的。他非常清楚,这个脱克有可能被挑选出来代替他。因为,有好多次当一些公猿对脱克粗野的威吓表示不满的时候,这个凶猛的家伙就趁机仗着体力上的优势更强横起来。

泰山不想依靠刀和箭去制服讨厌的脱克,随着身体的逐渐成熟,他的气力和机敏都增长了。他开始相信他是能徒手打败厉害的脱克的。因为,要不是有令人可敬畏的优势,大猿脱克说不定有一天就会把它好斗的大獠牙伸向手无寸铁的泰山。

于是有一天,事情在泰山无法左右的情况下终于发生了。而且,未来就在他的面前打开了大门,要么他离开,要么他保留着他的野性威信而留下来。

事情是这样发生的:

部落正分散在一个相当的范围内寻找食物。当泰山正趴伏在一条清澈的小溪旁,试图用他敏捷而黝黑的手臂抓到在水中闪来窜去的鱼儿时,一阵大声的呼喊从他东面的远处传来。他部落里的人猿几乎一致地都向那里荡去。原来这时它们发现脱克正揪着一只老母猿的头发,并用大手无情地殴打它。

当泰山走到近处时,他举起手来招呼脱克停止殴打。因为,那只母猿并不是属于它的,而是属于一只早就丧失了战斗力的老公猿。脱克知道殴打别人的母猿是违反本部落规则的,但它仗着自己是一头公猿,就欺侮这个老而无力的大猿家庭,逼迫它交出刚捉到的一只柔嫩的地鼠。这时,脱克看到泰山并没有带弓箭,于是就越发用力地痛打这只老母猿,以当众侮辱它讨厌的头领。

泰山没有再重复他阻止脱克的手势,而是冲了过去,扑向正等着他的脱克。此前,泰山曾多次遭到大猩猩可怕的粗野攻击,而他却把他偶然弄到的猎刀插进了大猩猩的心脏。除那件事之外,这还是他头一回打这么一次可怕的大仗。在这次攻击中,泰山的刀勉强可以抵住脱克露出的大獠牙,而大猿巨大的蛮力,也刚好被人的敏捷和机智所抵消。总体看他们势均力敌,大猿在打斗方面看似略胜一筹。如果我们年轻的格雷斯托克爵士——人猿泰山没有什么个人的能力去影响最后结局的话,说不定就会败亡在脱克手下。那样一来,他的生命就会和他从来也不了解的赤道非洲一道消失。但是,如果有什么使他远远高于他的丛林伙伴的话,那就是人类理性的火花,就是它带来人与兽之间的巨大差别。而这一点,也是他最终能从脱克那钢筋铁骨和巨齿獠牙下逃脱出来,免于死亡的原因。

他们打了还没有十几秒钟,就连撕带踢地在地上滚到了一起,拼死地争斗着。脱克头上身上已经挨了十来刀,而泰山也被撕咬得浑身是血。他前额的一处伤口,有一半皮被扯下来,刚好挂在他的一只眼前,挡住了他的视线。不过迄今为止,这并不妨碍泰山躲开朝他咽喉袭击的獠牙。然后当他们稍稍松弛了一小会儿,以恢复体力时,正好在泰山的脑子里形成了一个狡诈的计划。他要想法跳到脱克的背上去,牢牢地用他的牙和指甲箍在那里,然后把刀插进脱克的身体里,直到它彻底完蛋。

这条计策比他预想得容易,很快就完成了。因为,脱克这个笨畜生,一点也不知道泰山究竟想干什么,所以也就没怎么阻止泰山实现他的计划。可是,当脱克终于领会到他的对手蹲踞在它的牙和拳头全都使用不到的地方时,脱克就猛扑到地上,泰山只好拼命地抱紧这个连蹦带跳不断翻滚的家伙。可是就在他想给脱克一刀的时候,那把刀却重重地掉到了地上,猛然从他手上飞脱,这时泰山发现自己竟手无寸铁了。在他们一起翻滚和辗转挣扎了好几分钟以后,泰山有十来次抓得松了些,直到最后在不断变换的攻击环境中一个偶然的机会,他忽然悟出了一个利用右手的绝招。他的右手从脱克的腋下穿出勾住了这个畜生的脖子,就好像现代有名的"半尼尔逊"摔跤法一样,不过这只是没有受过训练的泰山自己的偶然发现罢了。再加上他高超的理性使他很快就了解到,这一打斗姿势的发现意义是他生死的一道分界线。所以,他又想尽办法用左手也像右手一样勾住了脱克的脖子。只有一小会儿,脱克粗壮的脖子就要断在泰山的"全尼尔逊"摔跤法的控制下了。

现在,再也没有猛烈的冲击了,他俩完全是静静地躺在地上。泰山正翻在脱克的脊背后。慢慢地,大猿的那颗圆脑瓜被压得越来越向它的胸前低了下去。这会儿泰山完全清楚那后果将会是怎么样的,不用多一会儿,脱克的脖子就会断了。但是就在这时,脱克终于有了救星,其实这救星就是人的理性和智慧的力量,而这力量恰恰又是使它陷入如此痛苦困境的人的智慧本能。

泰山这时不由得思考起来:要是我杀了它,我会有什么好处呢?无非是使部落损失了一个勇猛的斗士。而且,要是脱克死了,那我的高明,它一点也不知道;要是我能饶它一命,那它会永远成为其他大猿的榜样。

"卡戈达?"泰山在脱克的耳边拖长声音地说。这句话按猿语的意思说来,就是"投降吗?"停了一阵,没有回答,泰山又加了力气向下压了压,脱克痛得不由自主地叫了起来。

"卡戈达!"脱克喊着。

"听着,"泰山说,轻轻地松了一点压力,但并没有放开手,"我是泰山,是猿王,是无敌的猎手和斗士。在丛林里再也没有谁比我伟大。你已经对我说卡戈达了,全部落都听见啦!不许再和你的王以及部落里的人打斗,再有下一次,我就杀了你。明白吗?"

"呼……"脱克同意。

"你够了吗?"

"呼……"大猿回答说。于是泰山放开它爬了起来。不一会儿,大家又回到各自的工作中去了,就好像什么事也没发生一样,安静地从事它们原始丛林里的狩猎了。但是从此在大猿们的脑海里深深种下了一个信念,泰山是强大的战士和神奇的生物——所谓神奇,是因为他有力量杀死他的敌手,却还让它毫无损伤地活下去。这天下午,在黑暗笼罩丛林以前,按照部落的惯例,大家又聚在一起的时候,泰山已经在溪水里洗净了伤口。他把老公猿叫到身边,说道:"今天,你们都看见了吧?人猿泰山是你们中最伟大的!"

他们一致回答说:"呼,泰山是伟大的。"

泰山继续说:"泰山不是一只大猿,泰山和他的部下不一样,他的生活方式和部落的方式也不同。所以,他要回到那个没有边的大湖旁,他同类的巢穴那里。泰山不想回来了。因此,你们另外选一个统治者吧!"

就这样,年轻的格雷斯托克爵士向他的目标迈出了第一步。这个他选定的新目标就是:寻找自己的同类!

十三
自己的同类

第二天早晨,泰山因为昨天与脱克的厮杀弄得他又痛又瘸,但他还是出发向西面的海岸走去。他走得很慢,晚上就睡在丛林中。转过天来快近中午时,才到了他的小屋。有好几天,他很少走动,只是在附近尽量地收集一些水果和坚果以填饱饥肠辘辘的肚子。大约十天,他已经完全好了,除了那道可怕的疤痕。它从他左眼的上方斜上去,横过额头,一直到他的右耳尖部。这是脱克扯下他头皮时留下的痕迹。

在休养期间,泰山想试着用一直平展在小屋里的母狮皮制作一件斗篷。但是,他发现这张皮竟硬得像一块木板一样。因为他对鞣皮的技术一窍不通,他只好放弃这一项心爱的计划。后来,他决定从孟格村的某个黑人那里偷几件衣服出来。人猿泰山已经决定要从各种可能的方面都显示出他比低级动物更进步。就这件事来说,再没有什么比装饰品和衣服更能突显出人类的标志了。所以后来他终于把丧命于套绳的黑武士的各种手脚饰品穿戴起来。

现在,泰山脖子上挂着一条金链,链子上吊着他母亲爱丽丝女士镶着宝石的小盒子。他的背上悬着一个箭袋,那是用皮带挎在肩膀上的,自然也是他从黑人那里得到的战利品啦!他腰里是自己用细的生皮条编的一根腰带,那上面挂着一个手制的刀鞘,里面插着他父亲的那把猎刀。而库龙格那副长弓就斜背在左肩上。这会儿,我们年轻的格雷斯托克爵士,真的成了一名强壮好斗的人物了。他浓浓的黑发飘垂在肩膀上,额前用猎刀割出了一些不太整齐的短发,免得挡住他的眼睛。他的体形笔挺而健美,肌腱结实得像古代罗马武士那样孔武有力,整体线条却又像希腊神话中神人那样的自然潇洒,一眼就能看出这是力量和敏捷的一种完美的结合。人猿泰山是原始人、猎手和武士的化身。他宽阔的肩膀上有着漂亮的头型,他美丽、有神的眼睛里显露出智慧与生命之火,自然地塑造了丛林中一种粗犷好战的原始半人半神的形象。

不过,泰山对这些事并没有多想,他忧心忡忡的却是他一件衣服也没有,无法向他的丛林伙伴们显示他是个人而不是猿。而且,经常有一种极大的疑问进入他的脑海,是不是他可能已经变成了一只猿猴。他的脸上是不是已经开始长起毛发来?因为,所有的猿猴都有,只有白人没有,除了有限的例外。不错!他曾经在他书里有关"男人"的画上,见到他们在唇上、两颊和下巴上长着大量的毛发。但是,泰山总是免不了担心,所以,他几乎每天都磨快他的刀,把他那点青春的胡须削来刮去,一心想把这退化成猿猴的标志斩草除根。就这样他学会了刮脸,尽管又粗糙又痛,但是无论如何,还是有点效果的。

当泰山在和脱克血战后逐渐感到恢复强壮时,有一天早上,他向孟格的村庄出发了,这次没有像往常从树上荡向前去,当他正沿着一条弯曲的小道前进时,不期而遇地碰上了一个黑战士。

这个野蛮人脸上的惊讶样子,真是相当滑稽。泰山还没来得及取下他的弓箭,这个家伙就转身沿着来路飞跑而去,一边大声呼叫着,好像向他前面的人发出警告。泰山随即跳到树上尾追而去。不一会儿他就看见那个人在拼命地向前逃去。他们大约有三个人,正排成单行穿过草丛发疯地奔跑着。

泰山很容易地就赶上了他们,而他们却没看见泰山无声地从他们头上面穿过去,他们甚至没有发现泰山正趴在前面不远处小道上面的一根不高的树枝上。泰山让过了从他树下跑过的前面的两个人。可是,正当第三个跑来时,一根悄然无声的套索,刚好落到他的脖颈上,只见那绳子迅速地一抖就拉紧了。这个俘虏立刻发出了痛苦的号叫,当他的同伙转身时,正看见他挣扎的身体,像被什么魔法慢慢地提升到上面浓密的树叶中去。他们吓得尖声喊叫着立刻转身飞跑逃命而去。

泰山不声不响地迅速了结了他的俘虏,卸下了他的武器和饰品。而且,噢!最让他高兴的是:一件漂亮的鹿皮短裙。当然,他立刻就把它据为己有了。现在,他确实穿戴得像一个男人一样了。现在没有谁能怀疑他高贵的血统了。要是他现在能立刻就回到自己的部落,在那些怀着妒忌的目光前展示华丽的服饰,那该是多么高兴啊!

肩上扛着俘虏的尸体,泰山只能在树上缓缓前进。不过因为他需要箭支,所以他还得到那个有围栏的小村去。

当他悄悄地接近栅栏时,他看到正有一伙激动的人群围着那两个逃亡者。他俩怕得颤抖不止,又显得筋疲力尽,简直难以复述他们神秘可怕的历险细节。据他们说米兰多原先走在他们前面一点,但是突然向他们呼喊起来,说有一个可怕的白色裸体武士正追随着他们。于是他们就一起转身向村子狂跑,恨不得自己多长出两条腿。这时,米兰多却又在他们的身后没命地叫起来,使他们立刻转身看去,于是他们看到了一个更可怕的景象:他们同伴的身体竟飞到树荫里去了。他的手脚在空中乱蹬乱踢,嘴大张着,舌头伸了出来。他既喊不出声来,在他的周围也看不见什么人。

村民们被弄得惊慌恐惧、六神无主,只有有点头脑的孟格,假装对这个故事持怀疑的态度。他把这一切都归咎于他的这两个武士被什么危险吓得有点神经错乱了。

"你们给我们讲的这个了不得的故事,是因为你们不敢讲真话。"他说,"你们这两个胆小鬼!大概是狮子扑向米兰多的时候,你们撂下他跑了,你们不敢承认,就编了这么一套吧?"

可是,还没等孟格说完,他们头顶上的一根大树枝咔嚓一声断了下来。当他们都害怕地抬头看时,只见米兰多的尸体从上面翻滚着落了下来,就在他们脚前,发出令人恶心的"噗"的一声,四肢伸开仰面掉在地上。这一突发的可怕景象,就连孟格也吓得发抖起来。黑人们几乎是一窝蜂地四散奔逃开去。直到连最后一个黑人也躲进了周围浓密的树荫中。

现在,泰山又跳下树来,大摇大摆地进了村子。他一面补充了他的箭支,一面吃光了黑人给他供奉的食品。在他离开之前,他把米兰多的尸体又提到村子的大门口,让他倚着栅栏竖在那里,他的那一张死人脸就贴着门柱的旁边,好像他是从门里向通到丛林的小路张望着似的。

然后,泰山就踏上了回程,一路打着猎,向海边的小屋走去。

被完全吓坏了的黑人,经过了十来次尝试,才终于敢经过他们那个龇牙咧嘴伸着舌头的兄弟身旁,陆续回到村里来。当他们发现食物和箭支丢失时,他们非常确信,他们最担心的事完全是真实的,就是米兰多遇到了那个凶恶的丛林之神。现在,对他们来说最合逻辑的解释是:只有看见了这位可怕的丛林之神的人才会死,不是村子里的所有人都会死。所以,凡是他杀死的都是看见过他的人,他们以自己的生命偿付了惩罚的代价。不过,只要他们不断地供奉他食物和箭支,丛林之神大概就不会伤害他们了,除非有人想要偷看他。从此以后,这就成为孟格提出的一条命令,在供奉食物之外还要再加上箭支,献给这位麦南戈·苟瓦蒂(黑人语)——丛林之神。

如果读者真有机会到遥远的非洲去,那您现在还会看见那里村子外的什么地方会有一间小草屋,屋里有一口铁锅什么的,里面放着食物,旁边还有一捆蘸了药的毒箭。那就是这个故事留下的风俗。

当泰山远远看见立着他小屋的海岸时,一幅陌生的、不平常的景象映入他的视线。在陆地环抱的港湾里停着一艘大船,而在海滩上正有一只小艇泊到岸上。但是,更令他惊讶的是有好几个和他一样的白人,正在岸边和他的小屋之间走来走去。泰山看到他们在各方面都和他画书上的男人一模一样。他从树上向他们一步步爬近,直到近得几乎就在他们的头顶上。

这里共有十个皮肤晒得黑黝黝的、面相有些不友善的男人。

他们正围着小艇大声谈论着,声调气哼哼地,又打手势又摇着拳头。这时,他们中的一个小个子面貌丑陋,样子让泰山想起盘巴(猿语,老鼠)的人,他把手放在一个站在他旁边的大高个子的肩膀上,而其余的人正和这个大个子争吵着。小个子突然指向陆地的方向,当大个子正跟着他手指的方向转身看去时,小个子猛地从腰带上拔出了手枪,向着大个子的后背开了一枪。

大个子两手猛地向上伸出,屈膝跪倒在地上,连一声也没喊出来,就向旁边一滚,扑在岸边死了。

泰山从来也没有听见过的这一声武器的爆炸声,只是让他充满了稀奇的感觉。这一声响很大很陌生,但并没有使他健康的神经陷入惊恐之中。反倒是这些陌生白人的行径让他极度烦躁不安。他皱起了眉头陷入了沉思。他想,幸亏没有冲动得跑上前去,像兄弟一样地欢迎这些白人。他们显然和那些比大猿文明不了多少的黑人不同,可他们对自己的同伴却像沙保一样残忍。

有好一会儿,他们其余的人都站在那里,看着那个丑陋的小个子和躺在沙滩上的大个子。然后,他们中的一个笑了起来,拍着小个子的背,似乎是赞同,他们的谈话又热烈起来,却好像没有什么争吵了。

最后,他们把小艇又推进水中,大家都跳了进去,向大船划去。泰山这时可以看见大船的甲板上正有人走来走去。当小船上的人都上了大船以后,泰山从一棵大树后面跳下来,在地上匍匐着爬向他的小屋。而且,一直都隐身在他的小屋后面,躲过船上人的视线。

等他一溜进屋门,就发现所有的东西都被翻了个底朝天。他的书和铅笔乱丢了一地，他的武器和盾牌以及其他小小的宝藏也被撒得到处都是。当他看到这一幅景象时，一股无名之火立刻涌上心头，额头的新疤疫时在他褐色的皮肤上变得越加红紫起来。他很快跑到柜橱那里，去摸索它最里面的隔层。啊！他放心地喘出一口长气，拿出来那个小金属盒子，发现里面的东西全都安然无恙。那张年轻而脸带坚毅表情和微笑的男子照片以及那本让他莫名其妙的小书也都完好如故。

这是什么？他灵敏的耳朵忽然又听到了一种声音。它既不熟悉又模糊。

泰山很快地跑到窗户那里，向港湾望去。这时他看见正有一只小艇从大船上放下来，泊在原来停在水里的一只旁边。很快就有一些人翻过大船的船舷下到小艇上，他们大批的人正要驶回岸边来。泰山又看了一会儿，看见许多箱子和行李都放到了等着的小艇上，然后，又看到它从大船边离去。这时泰山找了一支铅笔，扯下一块纸片，在上面画了一阵，直到那上面显出几行拼写准确笔画略显粗壮的文字。

泰山找来一个小尖木片把这张短笺钉在了门上，然后收拾起他宝贵的金属盒子、他的箭以及尽可能多的能带走的弓和标枪，匆匆地甩上了门，就隐藏到丛林里去了。

当这两只小艇停靠到沙岸上时，登岸的真是一群五花八门新奇的人物。这里大约有二十个人：他们中的十五个是相貌粗野的水手，其余的几个人却又分为不同的种类。

一个是头发银白戴着宽边眼镜的老年人。他微微弯曲的肩上披着一件不太合身却洁净的礼服外衣，头上是一顶有光的缎帽,一身与非洲丛林很不和谐的打扮。第二个随他登陆的是一个高个儿的年轻人,身穿白色的帆布服。而紧跟在他后面的又是一位老年人。他的额头很高,一副大惊小怪神经质的样子。在他们这几个人之后,是一个穿着所罗门群岛式服装的高大的黑女人,她的大眼睛转来转去明显带着恐惧的神色。她一会儿看看丛林,一会儿又看看那些从小艇上搬下行李和箱子的该诅咒的水手。他们这一行最后一位下船的是一位女子,她约有十九岁,是由站在小艇边的年轻男士举到岸上的。她于是给了他一个勇敢的甜甜的微笑,却没有交谈。

他们这五个男女老少、黑白不同的人默默地朝小屋前进。显然,他们离开大船和到小屋来的意图已经完全确定好了,所以,他们直奔屋门而去,那些拿着箱子和行李的水手就跟在他们的后面。拿着东西的人们走到屋门前,就把身上的物品卸了下来,其中一个忽然发现了泰山钉在门上的纸条。

"哈,伙计们!"他喊起来,"这是什么玩意儿?这个东西一小时以前可没有,不然,我打赌连厨子一块吃掉。"其他的人都围了上来,有的伸着脖子从前面人的肩上看过去。但是却没有一个人能把它都读下来,经过一阵努力还是白费工夫。最后,有一个人终于转向那个戴着高帽子穿礼服的小老头。

"嘻,'交'授,"他招呼说,"往前站,给咱们念念这他妈的通知。"

他这样说了,那个老头只好慢腾腾地走到水手们站的地方,后面那几个人紧跟着他。整了整眼镜,他看了一会儿,然后,却转身踱来踱去,一边自言自语地说:"太不可思议了,太不可思议了。"

"嘻,老顽固,"招呼他过来让他帮忙的男子喊着说,"你以为我们叫你来就是把这个通知念给你自己听吗?嗨!回来,到这儿来大声念出来,你这个老企鹅。"

那个老头子站住了,转身说:"噢!是的,亲爱的先生,太对不起了,我简直是心不在焉。是的,它太不可思议啦!它太……"他再一次面冲着通知看过去。不过毫无疑问,要不是那个水手粗暴地抓住他的衣领,在他的耳边吼起来,他又会陷入沉思。

"大声念出来!你这个头号大傻瓜。"水手说。

"啊!是的,当然啦!当然……"教授回答说,又整了整他的眼镜,于是大声念了出来:

这屋子是泰山的,他是许多野兽和黑人的杀手。不许损坏泰山的东西,泰山时刻在看着。

人猿泰山

"这他妈的鬼泰山是谁?"前面说话的那个水手大声说。

"他显然会说英语。"那个年轻男士说。

"可是,'人猿泰山'是什么意思?"那个女士说。

"我不知道,波德小姐。"年轻男子说,"除非我们发现伦敦动物园里逃出来一只类人猿,他把欧洲教育带回到他的丛林家里来了。您怎么理解?波德教授。"

教授阿基米德·波德又整整他的眼镜说:"啊!是的,当然,是的,当然啦!……太不可思议,太不可思议啦!但是,我对我已经阐明的重大发现再也说不出更多的什么了。"教授咕咕噜噜地说了一大堆。

"可是,爸爸,您至今什么也没有说明啊!"女士大声说。

"啧,啧,小孩子,啧,"波德教授宽容而亲切地回答说,"不要用这样沉重而深奥的问题去麻烦你那机灵的小脑瓜啦!"说着他又转身向另一个方向慢慢走去。他的眼睛看着他脚下的地面,两手背着抄在他礼服摆动的后襟下面。

"我估计这个糟老头子比我们知道多不了多少。"那个长着老鼠脸的水手咕噜着说。

"喂!说话文明点。"那位年轻男士大声说,因为水手的那句侮辱性的粗话,他气得脸都白了。

"你杀了我们船上的船员,抢劫了我们。虽然我们现在确实在你的手中,不过你最好还是对波德教授和波德小姐尊敬些,不然,我不管有枪没枪也会把你的鬼脖子拧断的。"说着,这个年轻人就径直走到那个鼠脸水手的跟前。虽然,这个水手有两支左轮手枪,腰带上还插着一把吓人的腰刀,还是红了脸悄悄走到一边了。

"你这该死的懦夫。"年轻男子的声音越发大起来,"你从来不敢正面向一个人开枪,只会在背后干。你现在甚至不敢向我开枪。"说着,他故意地完全转过身,好像要把自己当试验品,满不在乎地向前走去。

那个水手的手不由得摸了摸他的一支手枪的枪柄,一双邪恶的眼睛狠狠地盯着走去的年轻英国人。他的伙计们也都注视着他,他却迟疑不决。其实,这个水手的内心比威廉·西塞尔·克莱顿先生(在这里应该告诉读者,这位克莱顿先生就是我们故事主人公人猿泰山的堂兄)刚刚想象的更为胆怯。

在附近的树叶丛中,一双机灵的眼睛早把这一切看得一清二楚。泰山看到了他的通告在众人间引起的惊讶。同时,他对这些陌生人的言语的理解一点也不比他们的脸部表情和手势所告诉他的更多。那个长着老鼠脸的水手杀害他同伴的行为,引起泰山极大的不快。现在他看到水手和那个相貌好看的年轻人之间的争吵,于是又激起了他对那个水手的憎恶。所以,泰山拈弓搭上一支毒箭,瞄准鼠脸水手射去。但是,树叶太浓了,他很快就发现箭被树叶和小枝碰得偏离了方向。于是,他又从他所站的高枝上投出了一支重一些的标枪。

克莱顿刚走出了十来步。鼠脸水手的枪也正拔出了一半,其他的水手也正全神贯注地盯着这个场面。波德教授已经在丛林里走得看不见了,而他神经质的秘书和助手塞缪尔·菲兰得也正跟着他到那里去了。

黑女人爱丝米兰达正在小屋旁忙着,从一堆箱子和行李中归置着她女主人的东西。而波德小姐却跟着克莱顿向前走去,但这时似乎有什么事使她转身朝水手看去。

就在这时,三件事几乎同时发生了。水手猛地拔出了手枪向克莱顿的后背瞄准;波德小姐喊了一声,警告克莱顿;一支裹了金属头的标枪像闪电一样从上面飞来,整个穿透了鼠脸水手的右肩。

手枪虽然"轰"的一声响了,但子弹却打飞了,那个水手又痛又怕地缩成了一团。克莱顿立刻转身跑到现场;水手们也拔出了武器害怕地围到了一起,向丛林里望去;那个伤者已倒在地上边滚边叫着。克莱顿什么也顾不上看,走过来捡起了掉在地上的手枪,把它装进了衬衣口袋里,然后也随着水手们迷惑地向丛林望去。

"谁能这样干?"琴恩·波德小声说。那个年轻人一转头发现她正睁大了眼睛,莫名其妙地紧站在他的身边。

"我敢说那个叫作人猿泰山的,正一直盯着我们。"他半信半疑地回答说。

"我奇怪,那支标枪究竟是对着谁的。要是对着那个坏蛋,那我们这个猿人朋友就真是我们的朋友啦!"

"啊!您父亲和菲兰得哪去了?丛林里一定有什么人带着武器或诸如此类的东西。嘿!教授!菲兰得先生!"年轻的克莱顿高声喊起来。

可是,没有回音。

"这可怎么办,波德小姐?"年轻男士继续说。他脸上充满忧心忡忡和犹豫不决的神情。

"我不能把你们单独留在这里,跟这些凶手在一起。而你们也肯定不能和我一道冒险进入丛林。可是,仍必须有人去找您的父亲。他会像一头猿一样无目的地在那里游荡,既不管危险,也不管方向。而菲兰得先生的不切实际也只是比他稍微好一点罢了。请原谅我的坦率,但我们的生命在这里都面临危难。而且,一旦我们把您父亲找回来,我们定要让他知道由于他的漫不经心使您和他自己都面临危险。"

"我完全同意您的意见。"女士回答说,"我一点也不反对。我亲爱的爸爸，他肯定会毫不迟疑地为我牺牲自己的生命。看起来，只有一个办法能使他安全，那就是用链子把他拴在树上。我们的这位老可怜实在是太不实际了。"

"我想起来了。"克莱顿忽然大声说，"您会用手枪吗？"

"是的！我会。怎么样？"

"我有一把。在我去找您父亲和菲兰得先生时，您和爱丝米兰达带上它，待在小屋里会相对安全些。快点，把那女人叫过来。我得赶快走了，趁他们还没走远。"

琴恩立刻按他的建议做了。当克莱顿看到小屋门在她们身后安全地关上以后，他转身向丛林方向走去。

当几个水手把标枪从受伤的伙伴身上拔出来时，克莱顿走到他们跟前，对他们说谁能把手枪借给他一用，因为他要到丛林中去找教授。那个鼠脸水手发现自己并没有死，就又神气起来。他竟以自己是同伙头头的身份，不仅拒绝借给克莱顿任何武器，而且对他破口大骂起来。这个坏蛋，自从杀害了他们以前的领袖以后，就摆起了头头的架子来。这不过才过了一小会儿，暂时还没有人反对他的权威。所以，克莱顿对此只轻蔑地耸了耸肩膀。当他离开他们时，他顺手捡起了刺伤过那个坏蛋的标枪。这位贵族格雷斯托克的子孙，就只带着这支最原始的武装，大步地走进了浓密的丛林。

当阿基米德·波德教授和他的助手塞缪尔·菲兰得，决定转身准备返回营地时，他们却在茂密的丛林中迷了路。当然，他们自己并不知道。不过，仅仅是由于无法解释的幸运，他们是朝面向非洲的西海岸而不是相反地朝黑大陆的桑给巴尔走去。他们走了不大一会儿就到了海边,可是他们却看不见营地在哪儿。菲兰得肯定他们是在正确目的地的北面,可是事实上,他们却在它的南面约二百码处。

这两位缺少实践机会的理论家没有高声喊叫寻找,而是把一个错误的方向作为信念,取得了一致。于是,塞缪尔·菲兰得牢牢地抓着阿基米德·波德教授的胳臂,不顾这个老头的不情愿,匆匆地向南面一千五百公里以外的开普顿赶去。

琴恩和爱丝米兰达发现她们已经安全地在小屋门后面时,黑女人的头一个想法就是如何从里面进一步把入口堵住。带着这个想法,她就转身找东西去了,想把它付诸实施。但是,她头一眼向屋内望去,就吓得惊叫起来。像一个受惊吓的孩子一样,这个大块头的女人跑到她的女主人那儿把脸埋在她的肩上。琴恩转头也看见了那吓人的原因:一具男人的白骨就躺在他们面前的地板上。再一看,床上还有一具白骨。

"我们到了一个多么可怕的地方啊!"吓了一跳的女人嘟哝着说。只是她还没有被吓到惊慌失措的地步。最后,她还是摆脱了爱丝米兰达抓住她的手,穿过屋子到小摇篮前看了一眼。她甚至在看到小摇篮里的那一具白骨之前,就已经料想到它们一定包含着一个令人凄婉欲绝的故事。

这些可怜的白骨无声地说明了一个多么可怕的悲剧呀!这位女士想到她和她的朋友们可能会遇和这个倒霉的小屋里的白骨同样的事,禁不住不寒而栗起来。出没在这里的那个神秘的生命,也可能是充满敌意的。她不耐烦地跺着她的小脚,努力想摆脱这些不祥的预兆,并且转向爱丝米兰达,叫她不要再哭了。

"停下,爱丝米兰达,马上就停下!"她大声说,"你只会把事情弄糟。"她最后的话还没有说完,自己的声音已经有点颤抖了,因为,她想起了她所能依靠保护的三位男子汉,这时却在可怕的森林中游荡。

很快我们的女士就发现了这扇门里配备着一根大木闩。经过几次她们两人共同的努力,终于把它插到门上去了。这还是她俩二十年来的头一次合作。

然后,她们坐在一条长凳子上,挽着对方的胳臂,等待着。

十四
在丛林中的命运

自从克莱顿一头扎进丛林之后,"飞箭"号上叛变的水手们就一直在讨论他们下一步该怎么办。有一点是一致的,就是他们要赶快回到锚泊在海里的"飞箭"号上去。只要在大船上,他们就可以躲过那个看不见的敌人的标枪。因此,就在琴恩·波德和爱丝米兰达忙闩紧小屋房门的时候,这些胆小的歹徒正坐在那两条把他们带到岸上来的小艇中,拼命地向大船划去。

泰山这一天看到的事情太多了,以至于他脑子里老是回旋着稀奇的印象。但是,他最稀奇的印象,就是那位白种漂亮女子的脸。这里终于有了他自己的同类,就这点来说,他是肯定的。还有那位男子和那两位老头,当然他们也是。他们就像他曾经想象的那个样子。但是,无疑他们也会像他见到的其他人那样凶狠和残酷。事实上,他们之所以没有杀人,只是因为他们这一伙人没有武装,要是他们有了武器,那情形也许就大不一样了。

泰山看见了青年男子捡起了那个受伤坏蛋丢下的手枪,并把它小心地递给了走进他小屋的女人们。他不大了解他所看到的这些事情背后的动机,但是,不知为什么,他凭直觉就喜欢那个男子和两个老头。至于对那个女人,他有一种自己也很难理解的少有的爱慕。那个黑人妇女显然与那位女子有某种关系,当然,他也就喜欢她了。

对于水手们,尤其是那个坏蛋,泰山的厌恶越来越深。他从他们威胁的手势和凶恶的脸色已经看出他们是这一小部分人的敌人。所以,他决定要牢牢地监视他们。

泰山很奇怪这几个男人为什么要到丛林里去。而且,在茂草密生的丛林里竟然会迷路,对他来说也是不可想象的。丛林对他来说就像我们对自己家乡城里的大街一样熟悉。

当他看到水手们向大船划去以后,知道那位女士和她的伙伴在他的小屋里已经可以安全无忧了,他决定追着那个男人到丛林里去,想弄明白他们的使命究竟是什么。他在树上向着克莱顿所走的方向迅速荡去,不一会,他就隐约听到了远处那个英国人呼叫他朋友的声音。

现在那个白人已经被泰山追上了,这会儿他样子很疲惫,正靠在树干上擦着头上的汗。人猿泰山于是安全地躲进了一片树叶屏障的后面,专注地坐着看他的这个同族的新样本。克莱顿时不时地高喊一两声。后来泰山终于明白他是在寻找老人。可是,正当泰山准备走开亲自去寻找他们时,他看见了一块黄色光滑外皮的闪光物正谨慎地穿过丛林向克莱顿而来——它是希塔。现在,泰山听到了草柔软弯倒的声音,而且奇怪这个年轻白人为什么没有警觉。难道他对这样大的声音也没有警觉吗?泰山从来没有遇到过行动这么粗笨的豹子。不,这个白人一定是没有听到。希塔正趴伏着,准备扑上前去。就在这时,令人战栗的大猿挑战的凶恶吼叫从寂静的丛林里响起,希塔只好转身逃回草丛里。

克莱顿吓得一下子呆在那里,只觉得毛骨悚然。他生平从来也没听到过这样可怕的声音。他倒不是胆怯,只是觉得就像有一只冰冷的手指触摸到他的心脏似的。这就是英国贵族格雷斯托克家的长子——威廉·西塞尔·克莱顿这一天在非洲僻静丛林里的经历。

这时一个大躯体落入草丛,在他身后响起了稀里哗啦的声音,而刚才那一声让人不寒而栗的吼叫也正是来自上面,这件事简直都要把他吓瘫了。但是,他并不知道正是这个声音才救了他的命。而且他更不知道,发出这样吼声的正是他的堂弟——真正的格雷斯托克爵士。

下午已经快要过去了。克莱顿既沮丧又提心吊胆,这种心情使他正处在一种进退两难的境地。他不知道究竟是应该继续在危机四伏的丛林之夜追寻波德教授,还是回到小屋去,因为在那里至少还可以在面临各种危险的时候保护琴恩的安全。但他又不愿没有找到她的父亲就回宿营地,可是,他更害怕把琴恩毫无保障地留在飞箭号那伙叛匪手中,或者让她面对各种未知的丛林危险。

他想,也许教授和菲兰得已经回到营地了?是的,这更有可能。在看起来不会有什么结果的继续寻找之前,至少他该回去看看。所以,他开始往回走,却误入歧途穿过茂密丛生的杂草丛,向着他自认是小屋所在的方向走去。

泰山完全没有料到,这位年轻的男士,竟然一头朝着孟格村庄方向的丛林深处走去。我们机灵年轻的泰山很快相信这男士一定是迷了路,这一点对泰山来说简直不可理解。他的判断告诉他没有人会只带一根标枪，就到全副武装的残酷黑人那里去冒险的。从他使用标枪的笨拙样子，足以看出这个武器对于这位白人来说是陌生的，何况他也不是循着那两个老人的脚印走去。他们是从左面穿过去的，尽管他们已经过去了好久，但就泰山看来那踪迹还很清楚和新鲜。泰山真有点不知如何是好了，如果这个毫无自卫能力的外来人不赶快回到海边的话，那么危机四伏的丛林一会儿就会把他当成猎物。是的，这里有努玛，眼前就有一头正慢慢向这个白人走来，只在他右边十来步。克莱顿听到了一个庞大身躯和他并行前进的声音，接着在暮色苍茫中又响起了这个野兽如雷的咆哮。那白人这时举着标枪竟然愣在了那里，两眼盯着发出可怕声音的草丛。此时，天色越加暗下来，黑暗即将笼罩大地。啊！上帝，他一个人会死在这里，就死在这个畜生的獠牙之下。它会把他扯个稀巴烂，他似乎感到这个畜牲的利爪已扑到自己的胸膛上来了，脸上都能感觉到它呼出的热气。

有那么一会儿，一切都静静地，克莱顿木然地举着标枪站在那里。现在，一阵窸窸窣窣模糊的草丛磨擦声，告诉他那个野兽已经走近。它似乎正准备扑上来。最后，他终于看见了据他不到二十英尺的公狮，它有着柔软的长满肌肉的身体和褐色的满是黑色鬣毛的大脑袋。它正肚子贴着地面，缓缓向前移动，后半个身子小心地正向前躯收缩。克莱顿看着它，胆战心惊地甩出了他的标枪，那标枪无力地向前飞去。

就在这时，他听到他头顶的树上一阵响声。他想，又是什么新的危险吧！不过他眼睛这时正死死地盯着前面那头黄色的野兽，不敢抬头去看发生了什么事。但耳边却听到了一声尖利的拨弦声。在这同时,一支箭射在了狮子的黄皮上。

这时,这头野兽痛得大吼一声跳了起来。但是,就在克莱顿不自觉地翻滚到一边,再翻身面对愤怒的兽王时,眼前的景象让他大吃一惊。因为,就在狮子转身重新发起攻击时,一个大力士从树上跳了下来,不偏不倚刚好落到狮子的脖子上。像闪电一样迅速,一只布满钢铁般肌肉的胳臂,一下子就圈住了这头野兽的脖颈。这只巨大而凶猛的野兽立刻将前肢举了起来,向空中乱抓乱吼。在非洲丛林中,黄昏的光线下,这个英国人亲眼目睹的这一番景象,是他永远也不能忘记的。眼前的这个男子,可以说是体态匀称和气力巨大的化身,可是,他绝不是仅仅倚仗这些才和狮子进行战斗的。因为,即使像他这样有力的肌肉与公狮相比也是占不了上风的。他是凭着机敏的身手、灵活的头脑和他锋利的长刀才占了上风。他一面用左手箍住了狮子的脖子,一面用右手反复把刀子插进了狮子无能为力的右肩。发怒的狮子前蹿后索性用它有力的后腿站立了起来,毫无效果地用这种很不自然的姿势乱挣扎一气。要是这场战斗再延长几秒钟,也许结果会大不一样。但是,这一切完成得这样快,以至于还没有等狮子从慌乱的惊恐中恢复过来,它就跌到地上死了。

然后,这个怪人,这个征服者,站在狮子的尸体上把他那头发散乱但长得俊俏的头向后一甩,发出一声怕人的长啸。这就是刚才把克莱顿吓了一跳的那个声音。而出乎意料的是,现在,站在他面前的却是一个年轻男子。他身上除了一条短裙和野蛮人戴在手脚上的几件装饰品以外,全都裸露着。他的胸前衬着他褐色光滑的皮肤,脖子上挂着一个镶着贵重宝石的小盒。他的长猎刀已经装进了皮鞘。这会儿他正收拾当他跳下来向狮子进攻时被他抛散的弓和箭袋。

克莱顿试着用英语和他交谈,感谢他的勇敢救援,赞扬他所展示的神勇的膂力和机敏。但是得到的唯一回应只是不知所以的目光,还有几下意义不明的耸肩,它既可能表示对回报无所谓,也可能表示他根本不懂克莱顿的语言。当他把箭袋和弓挎上肩膀以后,他又抽出刀来,熟练地从狮子的尸体上割下十来条肉,蹲在地上大嚼起来,还示意克莱顿也参加进来。克莱顿看了这些,现在真觉得他是个野人了。

泰山有力的牙齿咬进血淋淋的生肉,吃得津津有味。但是,克莱顿却不能让自己和这位陌生人分享这种没有烹调过的生肉,相反,他只能呆呆地看着他。现在,克莱顿相信这就是那天早上钉在小屋门上纸条里写的那个人猿泰山。

要是他就是泰山,那他一定会说英语。

所以,克莱顿又试着用英语和这位猿人交谈。但是,这次的回答却是一阵噪声,就像吱吱叽叽的猴子的语言混合着某些野兽的咆哮一样。

不,这简直不可能是"人猿泰山",因为,显然他对英语是完全陌生的。

当泰山吃完了他的盛宴,又站了起来,指着和克莱顿原来的去路完全不同的方向,开始穿过丛林朝那里走去。克莱顿既茫然又困惑,迟疑着并没跟上前去,因为,他以为这是把他引向丛林迷宫的更深处。可是,猿人看他没有跟上来,又转回来,抓住他的外衣,拉着他一块向前走,直到他相信克莱顿明白了他的要求,才松开手让他自愿地跟上来。

我们的这位英国人最后断定他成了俘虏,因为,他别无选择,只好陪着他的捕获人,就这样缓慢地穿过丛林走下去,而这时荒凉丛林的黑暗夜幕已经笼罩了他们。同时,克莱顿还觉得有悄悄的兽爪落地和小树枝折断的声音,混合着野兽粗野的叫声正向他们逼近。

突然克莱顿听到了一声模糊的火枪的爆响,接着却又沉寂下来。

海边小屋里的两位完全吓坏了的妇女正互相搂着,她们就像是趴伏在黑暗袭来的浅滩上似的。

那位黑女人正在不住抽泣,哀叹她离开她可爱的美国马里兰州的那个倒霉的日子。这时那个白人女子虽然强忍住眼泪,外表显得镇定,可是内心却被恐惧和不祥的预兆弄得七上八下。她对那三个正在丛林里摸不到路的人的担心,远比对自己的担心更甚。因为,她不时地听见丛林里令人恐怖的动物们为搜捕猎物而不断发出的尖叫、咆哮、怒吼和乱吠。现在,这里又有一个大身躯正在撞击着小屋的一侧,她能听到那头野兽的大爪子在地上走来走去的声音。偶然的一个间歇,一切都变得沉寂起来,就连丛林的喧嚣也减弱成模糊的絮语。而这时,她却更清楚地听见这个畜生,在离她趴伏的地方不到两英尺的门上抓挠的声响。她本能地缩起了身躯,胆怯地向黑女人靠近。

"嘘!"她小声说,"嘘!爱丝米兰达。"看起来正是这个黑女人的抽泣声把这头野兽吸引来的,使它在屋外逡巡不去。

一个轻轻的抓挠声又在门上响起来,它好像试图要打开一个入口。然后这种抓挠又停了,紧接着就听见它的大爪子在小屋的周围慢慢踱步的声音。后来,踱步的声音也停止了,就停在窗口那儿,它使我们的女士吓得张大了眼睛死死地盯着那儿。

"噢,上帝!"她嘟哝着说。因为现在,在空中月光的背景下,她看到小小的格子窗棂上映出了一个大狮子脑袋。它闪着蓝光的眼睛正贪婪而凶猛地望着她。

"看哪,爱丝米兰达!"她小声说,"上帝保佑,我们可怎么办哪?看,快!那窗子。"

爱丝米兰达仍然胆怯地紧贴着她的女主人,她只好向月光映照的小方窗子那里看了一眼,却正好遇上了狮子的一声粗野的低声咆哮。她所看到的这一番景象,使她本来就已经相当紧张的神经更加脆弱。

"噢,上——帝——保——佑。"她尖叫了一声,就滑落到地板上,瘫软成一堆没有了生气。

过了不知多久,这头野兽又用它的前爪扒在窗棂上,向小屋里窥探。而且,还用它的大爪子试了试窗棂的结实程度。就在女士快要吓昏过去的时候,谢天谢地,狮子的大脑袋却从窗口消失了。可是,没有多一会儿,它的大爪子又在门上响起来,抓挠的声音又开始了。这一次它用的力气越发地大起来,简直是完全发狂地拼命在门板上撕扯,好像一心要抓住那毫无抵抗能力的猎物似的。

要是琴恩能知道这块由一块块木版拼造成的门有多么牢固,她就不会太害怕狮子会由这条通道抓到她。而且,当初约翰·克莱顿绝没想到,他制造这样一块笨重结实的门,会在二十年以后的某一天,去保护一个当时还未出生的美国女孩,使她免于吃人野兽的爪牙。

足有二十分钟,这头野兽不断地变换着在门上乱嗅乱抓,有时还因受到挫折而发出粗野的怒吼声。最后,它终于放弃了在这里的尝试,可是琴恩又听到它回到了窗户那里。

狮子在窗户下面休息了一小会儿,然后,又用它全身的重量去冲撞那已经受到时间磨损的窗棂。琴恩现在能清楚地听到窗棂在它的撞击下发出的呻吟声,可是这些木棍子还是挺住了。狮子巨大的身躯又落回到窗前的地上。它就这样一次次地重复着同样的战术,直到后来待在屋里心惊胆战的两位"囚徒"看到一根窗棂断掉了。一刹那,狮子的一只大爪子和它的脑袋就从这里伸了进来。慢慢地它有力的脖子和肩膀又把两侧的窗棂撑开了一些,接着它柔软的躯体也一点点地向里伸进来。

琴恩精神恍惚地站了起来。她的头缩到了胸前,眼睛大张着,吓呆了地望着那离她还不到十英尺咆哮着的脸。在她的脚下,蜷缩成一堆的是那个黑女人。要是她能站起来,那她们同心合力,也许就能把这个凶猛的嗜血者打退。

琴恩弯腰抓住黑女人的肩膀猛烈地摇晃着。

"爱丝米兰达!爱丝米兰达!"她大声说,"快帮帮我,不然我们就要完了。"

爱丝米兰达慢慢睁开她的眼睛。可是她首先看到的就是那滴着唾液的獠牙。这个可怜的妇人立刻就大叫一声,四肢撑在地上爬了起来。而且,就以这样的姿势在小屋里乱爬起来,一面扯开嗓子尖叫着:"上——帝——保——佑!"

人猿泰山·泰山出世　133

爱丝米兰达体重有二百八十多磅，她肥胖的躯体趴在地上，用四肢急速奔跑产生了一种最惊人的效果。有那么一会儿，狮子突然安静地注视着飞掠而过的爱丝米兰达。看起来她的目的是那个橱柜，她是想把自己肥大的身躯挤进去。但不幸的是那柜子的隔板间距只有十英寸高，她只能把头放进一层格子里去。突然，只听得她尖叫了一声，这一声就连丛林的喧嚣也相形见绌，接着她就昏了过去。

随着爱丝米兰达没了声音，狮子又重新开始挣扎着从已经支撑不住的窗棂向里挤来。琴恩吓得脸色苍白地呆呆地站在后墙边上。带着不断增长的恐惧，一心想找到一个可以逃避的墙洞。突然她的双手摸到了那把手枪，这就是今天早些时候，克莱顿留给她的那一把。

很快地她拿起那把手枪，对着狮子的脸扣响了扳机。只见火光一闪，随着是一声轰然巨响，那野兽发出一阵痛楚的怒吼。琴恩这时看到那个大身影终于在窗口消失了，然后，她也筋疲力尽地晕倒在地，手枪也丢在她的身边。

但是，狮子并没有被杀死。枪弹只是使它的大肩膀一侧有了一道疼痛的伤口，倒是那耀眼的光芒和震耳的轰响使它暂时退缩了一下。过了一会儿，它又趴上窗棂来。而且，它带着恢复了的狂暴抓挠着已扒开的缺口，只是那效果却并不显著，因为，它受伤的肢体使不上力气。狮子看见它的猎物——两个丧失知觉的女人躺在地上。这里已经没有什么需要战胜的了。它美味的肉食就在眼前，而它只要蠕动身体，穿过窗棂去得到她们就行了。

它慢慢地向里挤进它结实的身躯，一英寸一英寸地穿过那个洞口,先是前腿,接着是肩膀。它受伤的部位小心地躲过窗棂。只一小会儿,两个肩膀就都挤了进来。它柔软的身体,还有那不大的屁股,眼看就要滑进来了。

也就是在这时,琴恩·波德又睁开了她的眼睛。

十五
丛林之神

当克莱顿听到火枪轰响声以后,就不由得陷入了恐惧和焦虑之中。他认为,这一声枪响很可能是某个水手弄出来的。可是,他又记得他确实留给了琴恩一把手枪。这件事再加上他神经过分紧张,使他不禁毛骨悚然地相信,琴恩一定是受到某种巨大危险的威胁,甚至她现在正在抵御某些野人或什么野兽。

他的那位猎手和向导究竟在想些什么,克莱顿只能模糊地猜测,但是,显然在他听到那声枪响以后,他的行动受到明显的影响。因为,猎手加快了脚步,以至于克莱顿盲目地紧跟在他后面,跌跌绊绊地走了没多一会儿就摔倒了十来次,但仍然无法努力追上那个猎手,只得无望地落在他的后面。

因为他害怕再落入迷路的困境,就向在他前面的那位"野人"大声呼叫起来。没多一会儿,克莱顿就发现,他呼叫的人竟从他身旁的一棵树上轻轻地落了下来。有那么一会儿,泰山仔细地端详了他一阵子,好像决定不下来究竟该怎么办才好。后来,他终于弯下了身,示意克莱顿抱住他的脖子。然后,泰山把这个白人甩到背上,一纵就跳上了树。以后这几分钟发生的事,是克莱顿终生难忘的。当他们高高地在弯曲和摇摆的树枝间穿行时,他经历着对他来说难以相信的速度；这正像泰山对他缓慢行进感到焦躁一样不可思议。从一个高枝荡到另一个高枝，他带着克莱顿在令人目眩的高空中向前荡去，穿行在跨步足有上百码交织的树枝间，就像一个在草木青葱的暗黑深渊上的走钢索者那样摇摆着。

克莱顿从开始的恐惧感觉中过渡到一种强烈的对那些结实肌肉及神奇技能的羡慕与嫉妒之中。正是这种技能指导着这位丛林之神，能在漆黑的夜晚带着克莱顿穿行自如，就像克莱顿在月光下的伦敦大街上一样。

偶尔，他们会经过树叶不太茂密的地方，这时皎洁的月光会给克莱顿眼前照出一条他们走过的奇妙的道路。他面对如此可怕的高度，连大气也不敢喘一口，因为泰山走的这一条捷径总是在离地百来英尺的空中。尽管表面看来，他已是全速在前进，泰山仍然感到他的进度实在是太慢，因为他要不断地寻找能足够支持两个人重量的树枝。

现在，他们终于来到海岸边的空地前，这时泰山灵敏的耳朵已经听出母狮努力想挤进窗格子的奇怪声音。所以，泰山一下子就跳落到地面上来，这使克莱顿觉得他们就像从百米高空突然跌到地上一样。可是，当他们撞到地面上时，却轻得连一点常有的反弹都感觉不出。当从泰山的背上一松开手，他就看到这个猿人像松鼠一样轻捷地向对面的海滨小屋窜跳而去。但是，尽管克莱顿跳起紧追在他后面，可也只是刚赶上看见就要窜进小屋窗口的一头什么大野兽的后屁股。

当琴恩苏醒过来，睁开眼睛面对威胁她的危险时，这种危险虽曾一度使她勇敢的心灵完全放弃了希望。让她大吃一惊的是，这会儿她看见那个巨大的动物，正被缓缓地拉出窗户。在月光下，她看见在它后面还有两个男人的头和肩膀的黑影。

克莱顿一转过小屋的墙角，就看到那只动物正从屋里被慢慢拉出来，同时，他也看见那个猿人，正用两脚蹬住小屋的边墙，两手拉住动物的长尾巴，使出全身的力气把它从里面拉出来。克莱顿看见这情景，赶忙搭上一只手去帮忙。但是，猿人却用一种急促命令的声音对他说着什么，克莱顿只明白它是一种指示，尽管他并不懂它们的意思。

最后，在他们的共同努力下，那个大身躯终于被慢慢一点点地拉出了窗户。克莱顿也终于一下子明白了他伙伴鲁莽却很勇敢的行为。因为，一个半裸的男子把一只尖声吼叫、乱抓乱挠的吃人野兽从窗子里拉出来，为的是要救一个白人女子，这无疑是一种英雄的行为。就克莱顿来说，这完全是另外一回事，因为，这位女士不光与他是同种同类的关系，而且她是在世界上所有女子中他唯一爱恋的女人。虽然，他认为这头狮子会毫不费力地把他们俩一块解决掉，但他宁愿把它从琴恩·波德身边引开。而这会儿，他也想起了不久前他亲眼看见这位男士和一头巨大的长满黑鬣毛的公狮之间的战斗，从而他开始感到安全了。

这时，泰山仍然不断地向克莱顿发出他一点都不懂的什么命令。

泰山正试图告诉这个蠢笨的白人，用他的毒箭插进母狮的脊背或身侧，并用他挂在后腰上的长猎刀插进这头野兽的心脏。可是，这个白人一点也听不懂他的意思，而泰山这时又不敢松手亲自去做这两件事。他深知这个无力的白人绝不可能独自一个人拉住这个力大无穷的狮子,哪怕是一小会儿。

慢慢地狮子被从窗子里拉了出来,最后连肩膀也出来了。就在这时,克莱顿看见了一件使他难以置信的事。泰山绞尽脑汁地思考如何单独对付这头凶猛的野兽,突然想起了曾经用来对付公猿脱克的方法。当狮子的大肩膀完全离开了窗子,只剩它的爪子还搭在窗台上时,泰山突然放开了拉着它尾巴的手。就像响尾蛇发起攻击那样迅速,他一下子整个身子扑在狮子的背上。他年轻有力的胳臂终于找到了一个从狮子腋下勾住它脖子的机会,就像他那一次在战胜脱克的浴血搏斗中学会的那样。

狮子大吼一声仰身向后倒去,整个儿压在敌人的身上,但是我们的黑发巨人却越发地把它抱得紧了。狮子对着天空和地上乱抓乱挠,左右奔突,前后翻滚,想尽方法要甩脱它的敌手。但是,那一双像铁箍一样的手臂越拉越紧地把它的头越来越低地压向他褐色的胸脯。人猿的铁臂沿着狮子的后颈越来越向上移动,母狮的力气和挣扎也越来越弱。最后,在银色的月光下,克莱顿看到泰山肩上的大块肌肉和臂膀的二头肌都猛地聚成了一个个硬结。经过泰山持久的努力,狮子的颈椎骨终于咔嚓一声折断了。

泰山立刻站了起来,接着克莱顿第二次听到了一只胜利人猿野蛮的吼叫。然后,他又听见了琴恩惊恐的喊声:"西塞尔——克莱顿先生!噢,是什么?那是什么?"

克莱顿赶快跑到小屋门边,大喊告诉她一切都没事了,并且让她打开屋门。很快她就搬开了那根大柱子,然后,她把克莱顿

人猿泰山·泰山出世　139

完全拉进屋内。

"那是什么可怕的叫嚷?"她小声地、颤抖地靠近克莱顿说。

"那是一个男子猎获胜利的喊叫声,他刚刚救了你们,波德小姐。等一下,我领他来,你好谢谢他。"

吓坏了的女士可不愿意自己一个人待着,于是她和克莱顿一块到小屋的旁边去,那里躺着狮子巨大的尸体。

可是人猿泰山已经走了。

克莱顿叫了好几声,但都没有回答。于是他俩就回到已安全的小屋里面去了。

"多么可怕的声音!"琴恩大声说,"它又难听又可怕,我只要一想起它都要发抖。您不会说这是发自一个人的声音吧?"

"可它确实是的,波德小姐。"克莱顿回答说,"或者说要不是发自一个人的声音,那也是发自一个丛林之神的声音。"

然后,他就告诉她自己和这个陌生人的经历,这个陌生人如何两次救了他的命和关于他的神力、他的机敏和勇敢,以及他的褐色皮肤和好看的相貌。

"我无法完全把这一切都描绘出来。"他说,"我开始以为他就是'人猿泰山',但是他既不会说也不懂英语,所以,这推测是站不住脚的。"

"那么,他到底会怎么样?"女士大声说,"我们还没报他的救命之恩呢!上帝保佑他,让他在他野蛮和原始的丛林里永远平安吧!"

"阿门!"克莱顿热心地附和着说,"要不是老天爷怜悯,我早死了!"

这会儿他们俩几乎是同时转身去看爱丝米兰达。这时她正坐在地板上，两只大眼睛转来转去，好像她无法相信他们能证明她的存在一样。现在，琴恩·波德的反应终于爆发了，她猛地扑到地板上，又哭又笑起来。

十六
"真不可思议"

这时,两个老人正站在距小屋以南几英里的一道沙滩上争论不休。他们前面是浩瀚的大西洋,背后是广阔无垠的黑非洲,近处环绕着他们的是人迹罕至的阴暗丛林。野兽的咆哮和吼叫,嘈杂可怕地、离奇地刺激着他们的耳鼓。他们俩已经转来转去走了许多英里,寻找他们的营地,但总是找错方向。他们毫无希望地迷了路,就好像他们被送到了另一个世界一样。

在这样的时候,他们的每一份智慧,本应该集中在与他们生死攸关的问题上,即找到返回营地的正路上,可是他们的精力仍集中在争论上。现在菲兰得正在滔滔不绝地说:

"但是,我的教授,我仍然主张,要不是菲迪南和伊莎贝拉在十五世纪的西班牙打败了摩尔人,我们的世界还会比现在进步一千年。因为摩尔人基本上是一个心胸博大、宽容而自由的农、工、商俱全的民族,他们是可能创造像今天那样的欧美文明的一种人。然而,西班牙人……"

"糊、糊、糊涂,亲爱的菲兰得先生,"波德教授抢着说,"他们的宗教信仰肯定排除你所提出的那种估计的可能性。他们的宗教过去、现在和未来都是对科学进步的一种障碍。它表明……"

"我的上帝！教授，"菲兰得先生插进来说，他正转而注视着丛林，"有什么东西正朝我们走过来。"

波德教授转身朝着近视眼的菲兰得先生指的方向看了一眼，说道："糊、糊、糊涂，菲兰得先生，究竟还要我说多少次，"他不无责备地说，"究竟还要我说多少次？一定要集中精力才能产生最高的智慧力量，以解决需要大量精力的重要问题，不是吗？可是现在我就发现你心不在焉！居然粗暴地打断我们的学术谈话，把注意力转向只不过是猫科的一头四足动物。就像我经常说的，菲兰得先……"

"我的老天，教授，是一头狮子吧？"菲兰得睁大了他的近视眼，瞪着映衬在黑黝黝的热带灌木丛背景上的狮子轮廓说。

"是的，是的，菲兰得先生，要是你坚持使用通俗说法，把它叫作一头'狮子'的话，但是，就像我经常说的……"

"上帝保佑，教授，"菲兰得先生又一次打断他，"可是我建议，尽管十五世纪的征服者摩尔人，至今还处在一种令人遗憾的处境，我们是否先把有关这件世界性灾难的争论放一放，看一看在那里的那只食肉类猫科动物，它的近貌只有在展览时才能遇到。"

就在这会儿，狮子已经带着十足的尊严走到离这两个人不到十步远的距离，站在那里好奇地看着他们。月光倾泻在海岸上，这一组奇怪的人和动物的影子也轮廓分明地投射到沙滩上。

"太不可思议，太不可思议了。"教授大声地不无气愤地说，"从来，菲兰得先生，以前在我的生活中，从来也不知道这样一种野兽，可以到它的笼子外面来，自由自在地乱吼乱叫。我一定要

人猿泰山·泰山出世　　143

把这种无法无天破坏规矩的行为报告给最近的动物园。"

"当然啦!教授,"菲兰得同意说,"而且越快越好,那么让我们现在就去好吗?"

一边说着一边拉着教授的胳膊,菲兰得先生向着可以拉长和狮子之间距离的方向走去。可是,他们只向前走了不远,菲兰得先生恐怖地向后一看,却发现那头狮子竟跟了上来。他更紧地拉住挣扎着的教授,加快了脚步。

"我多次说过,菲兰得先生……"教授又重复说。

这时菲兰得先生又匆匆地向后看了一眼。狮子像也加快了步伐,在后面顽固地和他们保持着原来的距离。

"天哪!它正跟着我们!"菲兰得先生气喘吁吁地说着,竟跑了起来。

"糊、糊、糊涂,菲兰得先生,"教授抗议说,"这种不体面的匆匆忙忙的样子是最不配一个学者的风度了。要是我们的朋友偶然在街上看到我们这种轻率古怪的行为,他们该怎么想?让我们走得文雅点好不好?"

菲兰得又向后面偷看了一眼。狮子正以轻快的步伐紧跟在他们的后面,已经不出五六步远了。菲兰得先生突然放开了教授的胳臂,以大学田径队的速度奔跑起来。

"我多次说过,菲兰得先生……"波德教授尖声地喊起来,就像打什么暗语似的,他也向后扫了一眼,那双凶残的黄眼睛和张着血盆大口的动物竟在他身后跟了来。于是他穿戴着那顶闪光的缎帽和向后飘垂的燕尾服,也紧跟在菲兰得屁股后,穿过月光飞跑起来。

就在他们的前面,丛林向前伸出了一条狭窄的角状带。在这里,被当作安全岛似的树丛中,正有一双敏锐的眼睛,极感兴趣地注视并品评着连跑带跳地向他冲来的两位先生的比赛。

这个看着他们的人正是人猿泰山。他脸上挂着笑嘻嘻的表情,聚精会神地观望着这场奇特的追逐游戏。不过,他知道狮子在这样的距离内,这两个人是不会受到攻击的。因为,作为一个聪明的丛林成员,泰山确信,狮子根本就没把这样容易捕获的猎物放在眼中,事实是它的肚子肯定早已装饱了。狮子可能就这样跟着他们,直到它又饿了为止。不过,可能性也取决于它是否发怒,如果它一会儿就会累了,就会回到它的窝里休息去了。确实!最大的一种危险就是两个人中有一个可能摔一跤或跌到,那么这个黄色的凶暴兽王,就会立刻向他扑去,因为享受杀戮的诱惑实在是太大了,它会止不住地接受这种引诱。

所以,泰山迅速地荡到两个奔逃者来路上的一处低树枝上。这时,正好菲兰得先生跑得气喘吁吁地来到他的下面。这位老头已累得上气不接下气,更不用说爬到树上的某个安全的地方了。于是泰山伸手向下,一把抓住了他的衣领,一拉就把他拉到自己旁边的一根树枝上。只一回身,他又用同样友好的方式,正好赶在母狮吼了一声,对它的猎物扑空之前,也把教授拉到安全的树枝上了。

目前,这两个老头正拼命地抱着一根大树干,而这时,泰山却躲进树叶丛中,好奇而且充满兴趣地望着他们。最后还是教授打破了沉寂开口说:"菲兰得先生,我太痛心了,你本应该在面对这样一种低等种群时,表现出一点男子气,可是由于你的怯懦,为了恢复我们的谈话,才使我努力处于这样一种非常的地位。要不是你打断了我,菲兰得先生,正像我要说的,摩尔人……"。

"波德教授,"菲兰得先生以一种冰冷的声音打断他,"忍耐到了某种限度,再忍耐就是一种犯罪,它使莫须有的指责,反而会以道德说教的伪装出现。您指责我胆怯。您还暗示说您的奔跑只是为了追赶我,而不是为了躲避狮子的利爪。请留心,教授!我可不能容忍您的这种暗示。"

"糊、糊、糊涂,菲兰得先生,糊涂。"波德教授警告说,"你糊涂了!"

"我没有糊涂,教授先生!但是请相信我,先生,我倒是对您在科学界的高尚地位和您的一把年纪有些糊涂得忘记了。"

老教授沉默了几分钟,黑暗的天色遮盖了出现在他充满皱纹脸上狡黠的笑容。现在他终于开口说:

"嘿,瘦鬼菲兰得,"教授的声音里带着好战的味道说,"你要是想干一架的话,脱下你的外衣,咱们到地上去,就像六十年前在伊文斯谷仓背后的胡同里那样,打你个落花流水。"

"啊哈!"大吃一惊的菲兰得先生喘吁吁地说,"呵呵,这话听起来多带劲啊!当您完全具有人情味时,我很喜欢您,但是,近二十年来,您有时可有点忘记您的人情味啦!"

在黑暗中,教授伸出了他瘦骨嶙峋而且微微颤抖的手,直到摸到了他老朋友的肩膀,"原谅我,瘦鬼,"他声音柔和地说,"不会有二十年的,自从上帝带走了琴恩的妈妈以后,只有老天知道我为了琴恩而保持'人情味'有多困难,而且为了您也是这样。"

菲兰得先生的一只手也轻轻地抓住了放在他肩头的手,再没有什么信息能比这种动作更能传递两个人的心声了。他们有好一会谁都没有说话。狮子在他们下面烦躁地走来走去。第三个隐藏在树叶浓阴中的人影也一声不响,一动不动,像一尊雕像。

"在关键时刻,一定是你把我拉到树上的。"教授终于说,"我得谢谢你,你救了我。"

"教授,可不是我把您拉到树上来的!"菲兰得先生说,"哎呀!那会儿够紧张的,连我也忘了究竟我是被什么外力拉到树上来的了。我想这棵树上一定有什么人或什么东西跟我们在一起。"

"嗯?"波德教授不由得喊起来,"菲兰得先生,您能肯定吗?"

"完全可以肯定,教授!"菲兰得先生回答说,"而且,"他继续补充说,"我们得感谢我们的这位伙伴,说不定他就坐在您旁边呢!"

"你说什么?菲兰得先生,糊、糊、糊涂……"波德教授战战兢兢地说着,一边慢慢蹭到菲兰得先生身边。

可是,就在这会儿,泰山觉得狮子在树下转来转去的时间太久了。因此,他扬起了他年轻的头对着天空,吼出了人猿的挑战警告声,它在这两个老头听来简直毛骨悚然。这两个朋友在他们那不稳定的树枝上颤抖地抱在一起。他们看到狮子听到这声让人血液都会凝固的吼叫时,也停下来不再来回走动了,然后,很快地窜进丛林里,不一会儿就看不见了。

"就是狮子也怕得发抖。"菲兰得先生小声说。

"真不可思议,真不可思议。"波德教授一面嘟哝着,一面胡乱地抓住菲兰得,以求保持因为刚才的突然恐慌而失去的平衡。

不幸的是对他们俩来说,菲兰得先生在这一瞬间也失去了重心。所以,哪怕是教授身体轻轻一碰,也止不住从树上翻下来。开头他们还晃了晃,然后,就发出不太体面的尖叫,相互抱着从树枝上头朝下跌了下去。

有那么一会,他们谁都一动不动,因为他们肯定任何动一动的尝试都会发现自己身体更多的断裂和损伤,以致难以康复。最后,还是波德教授试着动了一下他的一条腿,让他大吃一惊的是,它竟跟过去一样好用。然后,他又动了动另一条,它也能伸缩自如。

"真不可思议,不可思议。"他嘟哝着说。

"感谢上帝,教授,"菲兰得先生悄悄说,"您这会儿没死吧?"

"糊、糊、糊涂,菲兰得先生,糊涂!"波德教授警告说,"我现在还很清醒呢!"

教授说着,很担心地动了一下他的右臂,完好无损。他屏住气又在他平躺着的身体上方摇了摇他的左胳臂,它居然也动了起来!

"不可思议,真是不可思议。"教授自言自语道。

"您跟谁打手势呢,教授?"菲兰得先生激动地说。

波德教授对这样幼稚的问题根本不屑于回答。因此,他轻轻地从地上抬起了他的头,前后左右摆了六七下。

"真是不可思议,"他松了一口气说,"它仍然能动!"

菲兰得先生在他跌下的地方一直也没动。他连试也不敢试。确实,当一个人的胳臂啦、腿啦和腰都跌断了的时候,他怎么敢动呢?他的一只眼睛还埋在松土里,而另一只则在一侧转来转去地盯着翻来翻去、举止奇怪的波德教授。

"多么糟糕,脑震荡竟会引发精神失常!"菲兰得先生声音相当大地说,"真是很糟糕,对于这样一个仍然不太老的人来说。"

波德教授一骨碌翻了个身,又轻轻地拱起了他的脊背,活像一只面对狂吠的狗的雄猫。然后他又坐了起来,发现他身体的各个部位都很正常。

"啊哈!它们都管用。"教授大声说,"不可思议,真是不可思议!"

说着教授就站了起来,而且向仍然躺在那里的菲兰得先生尖刻地瞪了一眼说:"糊涂,菲兰得先生,现在可没时间在懒散上耽搁了。我们得起来干点什么。"

菲兰得先生抖掉松土,生气地一声不响地看着波德教授。然后,他试着站起来。当他的努力立刻取得圆满成功时,再没有什么能使他也大吃一惊的了。他仍然对教授怀着一肚子怨气,可是,就在他要对波德教授的冷酷和不公平反唇相讥时,他的目光却不由得落在一个陌生的人影上,这个人就站在离他们几步远的地方,专注地盯着他们。

波德教授这时正把他光亮的缎子礼帽用袖子小心地擦了擦戴到头上。当菲兰得先生向他身后指了指时,他一转身就看到一个高大的、半裸的、只着一条腰裙和带着几件金属饰品的人,一动不动地站在他的面前。

"晚上好,先生!"教授向他举了举帽子说。

作为回答,这个人只是示意他们跟着他走,而且开始朝着海岸他们走来的方向走去。

"我想最好是听天由命地跟着他走。"菲兰得先生说。

"糊、糊、糊涂,菲兰得先生。"教授回答说,"不久以前,你提出你的很合逻辑的论据,证明你关于营地在我们南方的主张,我起先是怀疑的,最后还是相信了你,现在,我可以肯定,只要向南我们一定会到达我们的朋友那里。所以,我还是要继续向南。"

"但是,教授,这个人可能知道得比我们更多。他似乎是在这里土生土长的人,就让我们至少跟他走一短段路程吧!"

"糊、糊、糊涂,菲兰得先生,"教授重复着说,"我是一个难以被说服的人,但是一旦我被说服了,我的决定可是不能改变的。即使我不得不绕着非洲走一圈才能到达目的地,我也仍将继续这个正确的方向。"

他们的争论被泰山打断了。因为,他看到这两个人并没有跟着他走的意思,就又回到他们旁边来,又向他们点了点头,但是,他们仍然站在那里争论不休。最后,人猿泰山终于对他们的愚蠢无知丧失了耐心。他一把抓住吓了一跳的菲兰得先生的肩膀,在这位尊敬的先生还没有弄清他究竟是要杀他还是只是想把他弄残了之前,泰山就把一根绳子的一端稳稳当当地拴到了他的脖子上。

"糊涂,糊涂,菲兰得先生,"波德教授抗议说,"服从这样的无礼,对你可是太不相称了。"

可是还没等他的话说完,他也被抓住用同一根绳子牢牢地拴住了脖子。然后,泰山领着吓坏了的教授和他的秘书先生大步向北走去。

他们在死一样的沉寂中前进,对这被绑着的两个绝望的老头来说，好像过了不知多久。但是，当他们登上一处不大的高地时，他们竟高兴地看到在他们前面不到一百英尺远，就是他们要找的小屋！

在这里，泰山给他们松了绑，指了指那座小小的建筑物，然后就在他们旁边的丛林里消失了。

"真是不可思议，真是不可思议！"教授气喘吁吁地说，"可是，你明白，菲兰得先生，像往常那样，我还是没错的。要不是你的顽固任性，我们本来是可以避免一场羞辱的，更不用说危险的意外了。从此以后，你应该要更成熟、更实际一些吧！尤其当需要聪明的忠告时。"

菲兰得先生对于他们的历险遭遇竟获得这样令人高兴的结局，大大松了一口气，也就顾不得对教授的尖刻嘲弄生气了，相反倒抓了老友的胳膊向小屋飞速跑去。这是一伙经历了失散又团聚到一起的人，他们完全摆脱了惊险恐惧和悲痛的压抑，所以，直到天亮还在谈论着他们各自不同的冒险经历，并且猜测着他们在这个荒凉海岸边遇到的那个陌生而奇怪的保护者的身份和来历。

爱丝米兰达肯定他一定是上帝特地派来保护他们的天使。

"要是你看见他狼吞虎咽地吃狮子肉，爱丝米兰达，"克莱顿大笑着说，"你就会认为他不过是一个凡夫俗子样的天使罢了。"

"他的声音也不像是来自天上那么温文尔雅。"琴恩·波德不由得有点发抖地想起杀死狮子以后那可怕的吼叫声。

"他也跟我预想的庄严神圣的上帝使者的行为表现不符。"

波德教授说,"尤其是这位啊……嗯……绅士竟然敢把两位备受尊敬的博学之士,脖子拴着脖子地拉着他们穿过丛林,就像拴着两头母牛那样,真是太不成体统了!"

十七
埋葬与埋藏

现在天已经大亮了。这伙人从前一天早晨起,就没有一个人睡过和吃过,所以,他们现在开始全力准备食物。"飞箭"号上的那一群叛匪,总算给这五个被放逐者们留下了点干肉、罐装的汤料和蔬菜、饼干、面粉、茶、咖啡等,于是,他们拿出来饱餐了一顿,聊以填补他们的辘辘饥肠。

接下来的工作是要让小屋可以居住。而首先就是要决定如何把过去发生在这里的一桩悲剧的可怕遗物移走。教授和菲兰得先生兴趣盎然地考查着这几具白骨。两具大的据他们认为是属于某个白人种族的男性和女性。而那具最小的,只是从他所在的位置——在摇篮里——即使他们无须给予太多的注意就可以断定,他是这一对不幸夫妇的后代。

当他们在整理男性的骨骼,准备去埋葬的时候,克莱顿发现了一枚厚重的戒指,它显然是那男子死时曾经戴在手上的。因为,这黄金小物件仍套在他只剩骨头的手指上。克莱顿捡起来查看了一阵,不觉惊得大叫起来——这戒指上竟刻着格雷斯托克家族的纹章!与此同时,琴恩也发现柜子里一本书的扉页上竟有"约翰·克莱顿"的名字,而在第二本书上,她又匆匆地找到"格雷斯托克"姓氏的字样。

"嘿！克莱顿先生，这是什么意思？在这些书中为什么有您家族的名字？"

"而这儿，"他严肃地说，"却有格雷斯托克家的大戒指！我们一直以为它和我的叔叔，前格雷斯托克爵士——约翰·克莱顿，一道消失在海上了。

"那么，您该怎样解释这些在非洲丛林里找到的东西呢？"姑娘大声询问说。

"我看这里只有一种解释，波德小姐，那就是……"克莱顿说道，"已故格雷斯托克爵士并没有葬身海上，他是在这个小屋里去世的。地板上的骨骸就是他的遗体。"

"那么，这就是格雷斯托克夫人了。"琴恩尊敬地指着床上的那一堆骨骸说。

"是的，她就是美丽的爱丽丝女士。"克莱顿回答说，"关于她的许多美德和性格上非凡的可爱之处，我曾经听到家父母说起过，可怜的女士。"他悲伤地低语。

带着深深的尊敬和悲痛，已故格雷斯托克爵士和夫人的遗体被埋葬在他们的小屋边。在他们的中间埋葬着那具人猿卡拉婴儿的小骨骸。

不过，当菲兰得先生用一块小帆布包起那一堆小骨骸，准备埋葬时，他不由得注视了那堆小头骨一会儿。然后，他又把波德教授招呼过来，两个人低声地讨论了几分钟。

"真是不可思议，不可思议。"波德教授嘟嘟哝哝地说。

"上帝！我们必须立刻让克莱顿先生了解我们的发现。"菲兰得先生说。

"糊、糊、糊涂,"波德教授抗议说,"让过去随死者埋葬吧!让死者安息吧!"接着这位白发苍苍的老人就在坟前念起了他的悼词。此时,他的四位伙伴也在他周围脱帽鞠躬。

此时,在树上的人猿泰山把这一肃穆的葬礼都看在眼里。但最引起他注意的是琴恩·波德漂亮的脸庞和秀丽苗条的体态,在他野蛮的、没有经受过教育的心胸里一种新的情感正在骚动。他不能了解这种感受。他奇怪自己为什么会对这些人这样感兴趣,他为什么要努力去搭救这三个男人?但是他认为从狮子的口边抢救出皮肤柔嫩的女士却是理所当然的。

这些男人确实是又笨,又可笑,又胆小,就是曼纽也比他们更聪明。如果这就是他同种的生物,那他可真怀疑过去自己骄傲的勇敢血战是否值得。但是对于那位女士,却是另外一回事,在这点上,是没有什么可争辩的。他只知道她生来就是受保护的,而他生来就是保护者。

他奇怪他们为什么要在地上挖一个大洞,只是为了埋一些干骨头?这确实是没道理的事,没有谁要偷干骨头。难道他们忘了在那上头已没有肉了吗?只有为了防备鬣狗豺狼和其他丛林中的掠夺者才需要这样把肉保存起来。

当墓穴终于填满了土以后,这一小群人转身向小屋走去。只有爱丝米兰达仍然没完没了地为这两位以前她从没听说过、死于二十年前的人哭个不停。她偶然向港湾瞟了一眼,眼泪突然停了下来。

"看!那些下流胚,人渣,他们还在那儿呢!"她尖叫着指着远处的"飞箭"号说,"他们这一伙不但亵渎了我们,还把我们给丢到这个荒岛上来。"

而确实这时"飞箭"号正扬帆驶向大海,它正在穿过港湾的入口。

"他们答应过会给我们留一些武器和火药的,"克莱顿说,"这些残忍的野兽!"

"这是那个叫斯耐普的家伙干的,我敢肯定。"琴恩说,"原来的那个头头虽然不是什么好人,但还有点人性。要不是他们把他杀了,至少在我们听天由命之前,他会考虑给我们留下适当的物资。"

教授接着说:"我后悔在他们出航前没有和他们见上一面。我曾经计划要求他们给我留下那箱珍宝,要是把它们丢了,我就成了一个破产的人。"

琴恩不无悲伤地看着她父亲说:"别在意,亲爱的爸爸,就是见到他们也没有用,就是因为那珍宝他们才杀了他们的长官,而且把我们留这可怕的海岸上来。"

"糊、糊、糊涂……孩子,"波德教授回答说,"你是个好孩子,但在实际事务上是没有经验的。"教授说着就转过身去,两手交叉握在燕尾服的后襟下,眼睛望着地面,慢慢向丛林走去。

他的女儿带着一种怜悯的微笑看着他,然后对菲兰得先生小声说,"请不要让他再像昨天一样走丢了。我们都依靠您了,您知道,要仔细看着他。"

"他变得一天比一天难管起来了,"菲兰得先生摇着头叹息说:"我相信他现在是想要去报告动物园管理员:昨晚那里的一头狮子太自由了些。噢！琴恩小姐,您不知道我是怎样跟他作斗争的。"

"不,菲兰得先生,我知道,可是因为我们大家都爱他,而只有您最适合去管住他。反正不管他对您说什么,他对您渊博的学问还是尊重的,因此,他对您也最信任。只是我们这个可怜的亲人往往分辨不出学问和智慧罢了。"琴恩回答说。

菲兰得先生脸上带着有点迷惑的表情,转身向波德教授追去。在他的脑海里正反复思考着这样一个问题,究竟他对于波德小姐带点儿委曲的婉转的恭维话,是感到受了夸奖还是感到受了委屈。

泰山看到了当飞箭号离去时这几个人的脸上所表露出来的惊讶表情。更有甚者,这样一条船对他来说到底也是一桩新奇事物。他决定迅速赶到港湾出口北面陆地那里一看究竟,如果有可能的话还可知道船的去向。

泰山以极快的速度在树枝之间向前荡去。当他到达目的地时,正赶上那条船刚刚驶出港湾出口。所以,他对这座奇妙的、陌生的、漂浮的房子看了个一清二楚。这里大约有二十个男人在甲板上跑来跑去拖拉着绳索。此时,正吹着一股陆地的轻风,帆船在风力不足的情况下缓缓驶出了港口。但是,它现在正在调整航向,利用展开的每一块船帆,以便它能灵巧地驶向大海。泰山着迷地望着帆船那优美的移动,渴望着也能乘上它到海上去。就在这时,他敏锐的目光扫见一股可疑的黑烟在北方远处的海平线上升起。他不明白为什么在浩瀚的大洋上会有这样一种东西。与此同时,"飞箭"号上的瞭望台肯定也察觉到了。因为,在几分钟之内,它的船帆都收缩起来,船头调转过来。现在泰山一下子就看出来,它在顶着风朝陆地驶来。

一个站在船头的人,正在不断地向水中抛掷一根一端拴着什么小东西的绳子。泰山很奇怪这个动作的目的是什么。最后,帆船终于完全顶风驶来,锚放了下来,风帆完全落了下来,甲板上一片忙乱。再后来一条小船放了下来,船舱里放着一口大箱子。然后,有十二三个水手开始拼命地划起桨来,直朝泰山蹲伏着的岸边如飞般地冲来。当小船划近时,泰山看清楚了,坐在船屁股上的就是那个长着老鼠脸的小个子。

几分钟以后,小船就到了沙滩上。船上的人都跳了下来,把大木箱抬到沙滩上。他们所在的海岸在小屋的北面,所以他们的出现,小屋那里的人是看不见的。他们争吵了一阵之后,那个老鼠脸就和他的几个伙伴走下岸边的陡坡,刚好来到泰山隐蔽的树底下。他们向周围看了看。那个老鼠脸指着泰山所在树下的一块地方说:"这儿就是个好地方。"

"这里是再好不过了。"他的一个伙伴附和着说,"要是在海上他们把我们连这箱珍宝一块儿抓到,那只有全都充公没收了的份儿。我们最好是把它埋在这儿,等以后我们有谁从绞架下逃脱的话,再来享用它好了。"

现在那个老鼠脸小个子水手,开始招呼仍然坐在小船上的人。他们拿着镐和铁锹懒洋洋地走上坡岸来。

"嘿!你们快点!"老鼠脸斯耐普大声喊着。

"喊什么!"他们中的一个人粗暴地回答说,"你又不是海军上将,神气什么,小人得势。"

"在这儿我是老大,妈的,我会让你知道的。你这小水手。"斯耐普尖叫着,嘴里不干不净地骂着。

"算了吧!小伙子们。"一个从前没说过话的人告诫说,"不要什么也没干,我们之间先吵起来。"

"对极了。"那个对斯耐普霸道专横语气愤愤不平的水手说,"咱们这一伙里头,我说最好谁也不要摆大架子。"

"喂!你们这些家伙过来挖这里。"斯耐普指着树下的一块地方说,"他们挖这里,彼得画了一张图,标出这地点,以后我们好找。你、汤姆、比尔,你们带上两个人去把那只箱子弄来。"

"那么你干什么?"刚刚与他顶嘴的那个人问道,"只是当工头吗?"

"快点干起来,"斯耐普咕噜着说,"你不会是想让你的船长也拿铁锹给你干活吧!嗯?"

这些人都有点气愤地看着斯耐普,因为没有谁喜欢这个小个子老鼠脸的斯耐普。这种对他的权威不赞成的表现,自从他杀害那个原来的大个子头头起就开始了。他才是真正叛逆水手们的首领。现在水手们的这种对斯耐普的不满更有些火上浇油了。

"你是说你连铁锹也不想动,连帮一把手也不干是吗?你的肩膀又不是伤得连动一动也动不成了。"前面说话的那个水手塔伦托说。

"绝不!"斯耐普回答说,手指不由得有些神经质地放到左轮扳机上。

"那么,看在上帝的分上,你不拿铁锹,也该抡一下洋镐吧?"塔伦托一面说着一面抡起了他的洋镐,冷不防举过头用力朝斯耐普挥去，一下子就把洋镐尖插到他的脑袋里了。

有那么一会儿大家都愣在那里，看着他们伙伴这个残酷玩笑的后果一言不发。然后，他们中有一个说："把这个小人收拾得好！"

接着另一个开始抡起了他的洋镐朝地上刨去。泥土相当松软，所以他放下洋镐拿起铁锹干起来。于是别人也都跟他一起动起手来，没有谁再提起刚才死人的事。但是，大家干得比在斯耐普指挥下更和谐一致。

当他们挖出一个足够装下那个箱子的大坑时，塔伦托建议把坑挖得再大一些，以便把斯耐普的尸体也装进去。

"它会把到这里来乱挖的人吓唬一下的。"他解释说。

其他人一下子也明白了这个建议的明智。因此，那个坑很快就挖成长得足够容纳得下那具尸体的大小。而且，他们在坑底挖了个专放木箱的洞。木箱先用帆布包了起来，然后放到洞里去。它的顶部大约离坑的底部还有一尺。接着他们就铲土进来，并不断在箱子周围踏实，直到把洞盖满和坟底一样平。他们把老鼠脸身上的武器和一些物件都剥光了据为己有，却把尸体粗鲁地掀进了墓穴。随后，把墓穴填满踏实。剩下来的松土被远远地撒开。他们用一些败叶枯草盖在新做的坟上，抹去一切痕迹，好像地面根本就没有动过的样子。活干完了，水手们都回到小船上，迅速向大船划去。这时，风吹得大起来，远处那一道浓烟能清楚地看见了。叛变者们再也没有多少时间了，他们调转飞箭号的船头，升起了满帆直向南方的大洋驶去。

泰山满有兴趣地观察着所发生的一切，推测这些人的陌生行为的意义。人真是比动物还傻,比动物还残酷。他觉得自己生活在这样一个和平安全的大丛林里是多么幸运!

泰山奇怪他们埋的那只大箱子里究竟装着什么?如果他们不需要它,为什么他们不把它扔到水里,这要比埋起来省事得多。啊!他想起来了,不,他们需要它,他们把它藏在这,就是为了以后好回来拿。

泰山跳到地上来,开始查看挖掘过的那块土地。他正在寻找那些人是否丢下什么东西,他可以据为己有。他很快就找到了一把铁锹,是他们丢在坟旁的矮树丛里的。他抓起了它,试着像他看见的水手们那样使用它。这可是个难对付的活,他把自己光着的脚都弄伤了。但是,他还是坚持到差不多把那具尸体大部分都挖了出来。并把它拖到一旁。然后,他继续挖,直到把箱子完全挖出来,接着他把箱子搬出来,放到尸体一边,又回身把那个坟底放箱子的洞填死,还把尸体放进墓穴里,在它上面和周围仍旧填满了土,再把坟上也盖上树枝草叶。最后他又走到箱子旁。那只四个人抬着被压出一身汗的大木箱,到了泰山的手里,却好像是一个空的包装盒。他用一根绳子把铁锹挂在背上,然后带着箱子到密林深处去了。

他不能带着箱子在树上走,因为这个家伙太大了,所以只能在地上走小路,不过,他仍然走得很快。他朝东北方向走去,过了几个小时,就来到一处由植物编织缠结成的进不去的厚墙。然后,他只好在矮树枝上行走,不到一刻钟他已经出现在大猿的圆形广场里面,在这里大猿们举行过集会和跳咚咚舞仪式。

差不多就在广场的中心,离祭坛和鼓不远处的平地上,泰山开始挖起来。这比挖坟上的松土要难得多,但他还是坚持干了下去,直到出现了一个足够深的大洞,既放得下这只箱子,埋下去又不易被人发现。

为什么泰山努力干这一系列的艰苦工作,却不去管箱子里面究竟装了什么?原来他虽然有人的体形和人的头脑,但他却是在猿的训练和环境下成长的。他的脑子告诉他箱子里一定装了有价值的东西,否则人们就不会把它藏起来。他的训练又教会他对凡是新的、不平常的事都要模仿一下;而且,现在天生的对人和猿一样的好奇心,又促使他去打开箱子,查看里面装了什么。但是,那把大锁和几道大铁箍却挡住了他,使他的力气和智慧都用不上。这样,他就只好把那只箱子仍旧埋起来,而把得不到满足的好奇心暂且留着。

做完了这一切,天已经黑了。泰山顺便在路上吃了个饱,于是在黑暗中摸索着返回到小屋附近。在这座小建筑物中,正亮着一线光明。因为,克莱顿发现了放在那里二十年没有打开过的一听灯油,它是黑迈克留给已故克莱顿勋爵的。灯仍然还能用。所以,小屋里显得像白天一样明亮,它让泰山大吃一惊。他曾经奇怪过灯的实际作用。他的读物和画书都告诉过他灯是什么。但是,他却想不出它们怎么会产生阳光一样的奇迹,像画书上描述的,照亮着周围的一切。

当他走近门边的小窗时,他看到了他的小屋已被分成了两间,中间简陋的隔墙是用树枝和帆布做成的。在前半间里是三个男人:两个老人正在争论不休,另一个年轻人坐在一个临时做成的凳子上,上身斜靠在墙上全神贯注地读一本泰山的书。无论怎么说泰山对这几位男士都没有特别的兴趣。所以,他又从窗口的另一边望进去。这里是女士的天地。她的体态多么美丽!她雪白的皮肤多么娇嫩!她在窗下泰山的桌子上正写着什么。差不多有个把小时,泰山的眼睛都没离开她,看着她在写字。泰山多么想和她交谈,但是他却不敢去试一试,因为,他相信她也和那个男子一样,不会明白他的意思。而且,他也害怕会把她吓跑。

最后,她站了起来,离开了桌子边,走到她的床边。这张床不过是她用几层柔软的干草铺起来的。然后,她打开头上浓密而柔软的金发,像一道眩目的瀑布,在灯光的照耀下突然变成了一绺绺黄金的飘带,弯弯曲曲地从她的脸旁落下,一直下垂到腰际。

泰山不由自主地看得痴迷起来。就在这时,她吹灭了灯,小屋里的一切又落入幽冥一样的黑暗之中。泰山恋恋不舍地仍然向里窥视着,甚至爬到窗底下等待着,倾听着。他待了有半个多小时,直到听到了里面均匀的呼吸声,知道她们已经熟睡了,他才小心地把手伸进窗棂的方孔中去,直到他的整个胳臂都进入了窗户,才谨慎地在桌子上摸来摸去,最后终于摸到了琴恩·波德在上面写字的那张纸,他像抓住一件珍宝一样地拿着它,把手和胳臂又缩出了窗子。

泰山把这张纸叠成小块,塞进了他的箭袋,然后,轻捷无声地消逝在丛林之中,像一个影子一样。

十八
丛林里的失陷

　　第二天一大早,泰山醒来想起的头一件事,就是查看塞到他箭袋里的那一封奇妙的信。他急匆匆地找出了它,抱着一线希望想读懂那位漂亮女士所写的东西。可是,当他看了它一下时,却经历了从来也没有过的失望与痛苦。因为,他是多么想能破译来自这位不期而遇地闯进他生活里的金发仙女的信息。尽管这信息不是给他的。那又有什么关系?这可是她思想的表白,就这一点来说,对泰山已经足够了。不幸的是,现在他却被这些以前没有见过的、陌生的符号难住了。它和他以前从书上甚至那几页难对付的书信手稿中见到过的都有点不一样。甚至那几本黑旧书上的小甲虫,尽管它们的排列对他是没有意义的,但他却也把它们看熟了。现在他看到的这些却是前所未见的。

　　他对它们花了好大一会儿工夫探索,忽然它们开始对他变得有点似曾相识了,原来只是它们的外形歪歪斜斜一些。啊!它们还是他的老朋友哇!只是爬得很糟糕罢了。然后,他在这儿认出一个词,又在那里认出一个词。他的心不由地高兴得跳起来。他能阅读它们了,他会把它们都弄懂的!

　　又过了半个多小时,他的进步快起来,而且除了时不时有几个例外,他简直是一帆风顺了。

以下就是他陆续读懂的东西。

寄给:海兹尔·斯特朗,巴尔的摩,医务部
亲爱的海兹尔:

给您写一封可能收不到的信,也许是一件傻事。但是我必须对什么人,说一说自从我们乘坐飞箭号离开欧洲以来的可怕遭遇。现在看起来,我们很可能回不了文明世界啦!那么,这封信最少可以提供一个简要的记录,记下我们走向自己最后命运的种种事件的经过,尽管现在还没法说定将来究竟如何。

正像您所知道的,我们是到非洲刚果去进行一次科学探险。大家都相信爸爸主张的某个关于一种未知古代文明的奇妙理论。这种文明的遗迹就埋藏在刚果河谷的什么地方。但是,在我们踏上航程以后,才知道事实完全是另一回事。

事情大约是,在巴尔的摩有一个老书呆子开了一间旧书店和古物店。他在一部西班牙文手稿的书页之间发现了一封写于一五五〇年的信,详细叙述了西班牙大帆船上的一伙叛逆者的历险遭遇。这艘西班牙大帆船专门航行于西班牙和南美之间。有一次它携带了大量的财宝,它们是成色极好的古金币。我想这当然听起来令有的人垂涎欲滴,并会招来祸患。

这封信是这伙反叛者中的一个人写的,是写给他儿子的。他的儿子在他写这封信时,是一艘西班牙商船的船主。

自从信中叙述的事发生以来,已经过去了许多年。事件的参与者已经成了一个受人尊敬的老年人,他住在西班牙一座不出名的小城里。但是,他对于黄金的热爱仍然非常强烈,以致他要儿子知道,宁肯冒一切风险,也要投资为他们两人获取此项巨额财富。

这位老人详述了事件经过。他说在他们的船离开西班牙以后仅仅一周船上就发生了叛乱,叛乱者杀害了所有的高级船员和反对他们的人。但是,这件事却使他们自己自食恶果,因为,这船上没有留下一个人有驾驶这条大船继续在海上航行的能力。所以,有两个来月,他们一直被海风吹来吹去,在饥渴和坏血病的折磨下相继死亡。他们的船最后终于在一个小岛上失事。

那艘大帆船被高高地冲上了一处岩石海岸,在那里它被撞成碎片。不过,在它被撞碎以前,有十个人逃到了岛上,而且还把财宝中的一大箱也带到了岛上。他们把这箱金币埋了起来,并在这里生活了三年,时时盼望着获救。不过他们这十个人相继病故,只有一个人活下来,他也就是这封信的书写者。在这十个人还活着的时候,他们利用大船的残片建造了一艘小艇。但是,因为不知道小岛的位置,他们一直不敢乘它到海上去。

等别人都死了,只有他一个人还活着的时候,可怕的孤独使他再也无法承受下去。与其在岛上孤独得让人发疯,不如到海上去寻求一线生机。所以,在过了一年多的孤独生活以后,他决定选择到海上去冒险一试。

侥幸的是他采取了一直朝北航行,一周以后就走进了西班牙商船来往于西印度群岛和西班牙之间的航线上。而且,被一艘开往西班牙的大船救起,并被带回了家乡。他在救起他的大船上讲了他的故事,不过他只说他的船是怎样翻的,当时只有少数人免于葬身海底,后来又怎样在海岛上只剩了他自己。他当然绝口不提他们的叛变和那一大箱被埋藏的金币。

商船的船长根据救起他的地点和过去一周的风力和风向,断定他居住过的那个小岛一定是佛得角群岛中的一个,大约处于非洲西海岸的北纬十六度至十七度之间。所以,后来他的这封信中得以详细阐述了小岛和那一大箱财宝的位置,并且还画了一张藏宝的草图。那张图很粗糙可笑,但是,用 X 符号详细标明了宝藏附近的树和岩石等以及宝藏的确切地点。

当爸爸讲明了这次探险的真正性质,我的心都沉下去了。因为,我深知我的这位亲爱的老头是多么不切实际和喜欢异想天开,我想他这一次又是被愚弄了。特别是当他告诉我,他为了这封信和那张图竟然还付了一千元。

让我更为悲伤的是,我还知道了他为筹备这次远航,还向罗伯特·坎勒尔借了一万美金,并且给他写了借据。坎勒尔先生并没有要求什么担保,但亲爱的海兹尔你是知道的,如果爸爸不能按期偿还借款,这对我意味着什么。噢,我是多么讨厌那个坎勒尔!

我们大家都尽量向好处想。但是,菲兰得先生和克莱顿先生(他是在伦敦相信了我们原来的文化考察目的才参加进来的),都和我一样对宝藏持怀疑态度。

好!为了把故事说得简略点,我们还是找到了那个小岛和那一箱金币。它是一只用铁皮箍的大橡木箱子,外面包了多层油帆布。它仍然坚固得像三百多年前埋下去时那样。它里面装满了金币,所以,抬它的四个大汉都被它压弯了腰。

这一箱东西似乎在还没给据有它的人带来好处之前,先就带来杀戮和不幸。在我们离开佛得角三天以后,我们船上也发生了叛乱。叛乱者杀害了船上的全部高级船员。这真是我们能想象得到的最可怕的经历。我甚至不愿意写这件事。他们起初也想杀害我们,可是他们的头头,叫作金的人,却反对这样做。所以,他们向南航行,终于找到了一个冷僻的地点,这里有一个很好的港口。他们就把我们放逐到这里。

他们今天已经带着那箱财宝起航了。但是,据克莱顿先生说,他们将会遭遇到和古代那艘大帆船上的反叛者相同的命运。因为,船上唯一出过海,懂得如何航行的叫作金的人,已经被他们中的一个在我们登岸那天杀死在岸上。

我想让你了解克莱顿先生。他是你可以想象得到的最可爱的人。如果我没有说错的话,那么他已经爱上了我。他是克莱顿勋爵唯一的儿子,而且,有一天是会继承这个头衔和财产的。此外,他自己也掌握着一定的财富,但是他将成为一个英国贵族这件事,令我很不高兴。你是知道我对于那些专门嫁给外国名门的美国女孩的看法的。啊!要是他只是一个普通的美国有教养的人,那该多好哇!不过,这并不是他的过错。可怜的人!除了出身这一点以外,他在各方面都不会辜负我们的国家的。我知道这是给予一个男士最好的赞誉。

我们自从登陆以来,还经历了许多怪诞的事。爸爸和菲兰得先生在丛林里迷了路,曾被一头真正的狮子追逐过。克莱顿先生也在丛林里迷了路,两次受到野兽的袭击。我和爱丝米兰达在一座小屋里,被一头真正吃人的狮子逼到了墙角。就像爱丝米兰达所说的:"噢!吓人极了。"

但所有的事里最奇怪的是那个救了我们的人。我没有见过他,但是爸爸、菲兰得先生和克莱顿都见过他。他们说他是像神一样的白人,只是皮肤晒得褐紫。有像大象一样的力气,猴子一样的灵活,狮子一样的勇猛。他不说英语。在他完成了某项勇猛的事业以后,转眼就会神秘地消失得无影无踪,就像一个游魂一样。

此外,我们还有一个奇怪的邻居,他能写一手挺漂亮的英文,他写了一张纸条钉在我们暂住的这间小屋的门上,字条上说小屋是他的财产,警告我们不要损坏他的东西,他的签名是"人猿泰山"。我们还从来没有看见过他,但我们相信他就在附近。因为,有一个水手,想从克莱顿的背后向他开枪,却被看不见的人从树林里扔出来的一支标枪扎中了肩膀。

水手们给我们留下了少得可怜的食物,而且因为我们只有一把左轮和留在里面的三发子弹,我们也不知道如何获得肉食。虽然菲兰得先生说我们可以靠着附近丛林里的野果和坚果长期生活下去。

我现在太累了,我要到我那张可笑的床上休息去了。它是克莱顿先生用他收集来的草做成的。我将在这上面照目前的情况住下去。

爱你的
琴恩·波德
非洲西海岸,约南纬十度(据克莱顿先生说)
1909年2月3日

泰山读完了信以后,坐在那里沉思了许久。这封信给他带来了那么多新奇的事物,所以,当他要完全消化它们时,这些东西在他的脑海里搅起了一阵阵混乱。

那么,他们并不知道他就是泰山啦!他会告诉他们的。

在树上,他用树枝和树叶搭起了一个棚子以遮挡风雨。他还从小屋里带出来几样他珍贵的东西,也放在这里,其中有几支铅笔。现在他就拿出了一支,用它在琴恩·波德的签名下面写了:

我是人猿泰山

他想这就足够了，以后他会把这封信送回到小屋去。关于食物，泰山也想了，他们用不着发愁，他会供应他们的，而且他也这么做了。

这一天早上，琴恩忽然发现她丢失的信竟然原样地又放在两晚以前丢失的地方。她大吃一惊，觉得好像一股冰凉的冷水顺脊梁浇下来一样。她把那封信，更准确地说，是最后一张有签名的那一张，拿给克莱顿看，并且说："那么请想一想，在我写信的时候，这个怪家伙也许一直就在那里看着，我一想到这一点就不由得浑身打颤。"

"但是，他一定是好意的，"克莱顿向她保证说，"因为他还回了你的信，而且并没有想伤害你。除非我错了，他昨晚还在小屋的门外留下了一份表示友好的礼品。因为，我刚刚出去时，发现在那儿放着一头杀死的野猪。"

从此以后，几乎隔不了一两天他们就不断收到作为礼物的各种猎物或其他食物。有时是一头小鹿，有时又是一种特殊的食品——从孟格村偷来的木薯烙饼，或者是一头野猪，一头豹子，有一次甚至是一头狮子。

泰山从打猎给这些人供应食物中，获得了他生活中最大的乐趣。对他来说，似乎世界上再也没有什么事比保护这位漂亮的白人女士和为她的幸福而工作更让他高兴的了。

也许有一天，他会在白天到他们的营地里去，用他们和泰山都熟悉的小甲虫彼此进行交谈。不过，他发现自己很难克服丛林生物常有的胆怯。所以日复一日他一直没有履行他的良好愿望。

住在营地里的这几个人,由于在丛林里搜寻果子和坚果,走得越来越远,也越来越熟悉这里的环境,胆子也越来越大起来。几乎没有哪一天波德教授不是一面全神贯注地想着问题,一面乱闯到全然不顾生命危险的地方。因而,很强壮的菲兰得先生这些日子为了拼命保护教授安全,也给折磨得越来越瘦了。

就这样过了一个来月。泰山最终下了决心要在大白天去访问一下营地。

这一天刚过中午,克莱顿就到港口的海岸边等待过往的船只去了。在这里他高高地堆起了一堆木头,准备当一艘轮船或是一艘帆船在远处的地平线上露头时,好把它当作一种信号点燃。

波德教授顺着营地南面的海岸向前漫游。而这时菲兰得先生正拉住他的胳膊肘要他向后转,以免他们俩再成为某些野兽的消遣品。

别的人都走了,于是琴恩和爱丝米兰达也到丛林里去找野果子去了,并在搜寻中离她们的小屋越来越远。

泰山在小房子的门前一声不响地等着,等着他们回来。他想的大都是那个美丽的白人姑娘。他不知道她见了他是不是会害怕,这个想法几乎要使他放弃自己的计划。他很快就等得有些不耐烦起来,因为,他盼着能一睹她的芳容,接近她甚至抚摸她。人猿泰山并不知道有神,但是,他就像凡人敬神一样地崇拜她。

在等待中,为了消磨时光泰山给琴恩写了一封信,究竟他是否想把这封信给她,连他自己也说不清。但是,他因能通过书写表达出他的思想而感到高兴。在这封信中他力求表达得文明一点。他是这样写的：

> 我是人猿泰山。我需要你。我是你的。你是我的。我们都生活在我的小屋里。我会给你带最好的果子,最嫩的鹿肉和丛林里最细的野猪肉。我会为你而猎。我是丛林里最伟大的斗士。我会为你而战。我是丛林里力大无穷的战士。你是琴恩·波德。我在你的信里看到过这名字。当你看到这封信时,你知道这是为你写的,而且知道泰山是爱你的。

当他写完了这封信以后,他就站在屋门边等待着,活像一个年轻的印度人。可就在这时,他机敏的耳朵听到了一只大猿在树林里的低树枝上穿行的声音。有那么一小会儿,他十分注意地听着。忽然,从丛林里传出了一个妇女极度痛苦的喊叫声,泰山立刻丢下了那封信,像一头黑豹一样嗖地蹿进树林里去了。

克莱顿也听到了这喊叫声,波德教授和菲兰得先生,他们都在几分钟之内气喘吁吁地跑回小屋。当他们走近时,彼此不断地呼叫着、询问着。可是,他们只看了一眼小屋就证实了他们最害怕的事。

琴恩和爱丝米兰达都不在这儿！

两个老头立刻跟着克莱顿一头冲进了树林,大声呼叫着姑娘的名字。大约有半个小时,他们在跌跌绊绊地走着,直到克莱顿完全偶然地碰上了俯卧在地上的爱丝米兰达。

他停在她旁边,摸着她的脉搏,然后又伏在她的胸膛上听她的心跳。啊！她活着。他努力摇着她。

"爱丝米兰达！"他在她耳边喊叫着,"看在上帝的分上,波德小姐在哪儿？发生了什么事？爱丝米兰达！"

爱丝米兰达慢慢睁开了眼,她看见了克莱顿,她看见周围的丛林。"老天！"她叫了一声,就又昏过去了。

就在这时,教授和菲兰得先生也赶了过来。

"克莱顿先生,我们该怎么办？"老教授问道:"我们要到哪儿去找？上帝不会残酷到从我这儿夺走我的小姑娘吧？"

"我们得先把爱丝米兰达弄醒。"克莱顿回答说,"她会告诉我们发生了什么事。爱丝米兰达！"他又喊了一声,并且粗鲁地摇着这个黑女人的肩膀。

"噢！老天！我真想死！"这个可怜的女人闭着眼喊了一声,"让我死吧！我的天！可吓死我了,再也不要让我看见那张可怕的脸吧！"

"快,快点！爱丝米兰达。"克莱顿大喊着,"老天不在这儿,我是克莱顿,睁开眼吧！"

爱丝米兰达照着叫她那样做了。"啊！老天爷,谢天谢地。"她说。

"波德女士在哪？发生了什么事？"克莱顿追问。

"琴恩小姐不在这儿吗？"爱丝米兰达一骨碌就翻身坐了起来大叫着说,"噢,老天,现在我想起来了！小姐一定是被弄走了。"说完这个黑女人就抽抽嗒嗒地哭起来。

"什么把她弄走了？"波德教授喊着。

"一个混身长了毛的巨人。"

"是只猩猩吧,爱丝米兰达?"菲兰得先生问。当他说出这个可怕的想法时,这三个男人几乎吓得都屏住了呼吸。

"我想就是这个魔鬼,但是,我想它一定是它们中最大的。噢,我亲爱的孩子,我的心肝。"爱丝米兰达再一次陷入控制不住的哭泣中。

克莱顿立刻到附近去搜寻踪迹。但是,他却找不到附近有一块草地受到践踏的痕迹。而且,他的丛林知识也太贫乏,无法解释他所看到的情形。

这一天其余的时间,他们都在丛林里搜寻。但是当夜幕降临时,他们只好在失望和沮丧中放弃他们的努力。而且,他们甚至不知道那个东西究竟把琴恩带往哪个方向去了。

他们在天黑以后很久才到达小屋,这几个人满怀悲哀和失望无声地坐在小屋里。波德教授最终打破了沉默。他不再用对于理论和抽象论题那种充满学究气滔滔不绝的语调,而是像一个务实的人带着一种无望的悲伤口气谈论着这件事,这不由得在克莱顿的心里引起一阵痛苦的反应。

"我得躺下了,我也得努力使自己睡了。"这个老头子说,"明天一大早,天一亮我要拿上我能拿的食物,继续寻找我的琴恩,直到找到她为止,没有她我决不回来。"

他的伙伴们并没有立刻回应他。每一个人都沉浸在他们各自的悲哀之中。他们都知道老教授最后那句话的含义——波德教授恐怕再也不会从丛林里回来了。最后,克莱顿站起来,把手轻轻地放在波德教授拱起的肩膀上说:"我和您一道去。"

"我知道你愿意贡献一切,你会愿意去的,克莱顿先生,但是你不能去。琴恩现在恐怕不是人力所能搭救的了。不能让我亲爱的小女儿一个人孤独地待在可怕的丛林里。我要让同样的树叶和藤蔓覆盖着我们，而且，当她母亲的灵魂到海外来看我们时，她会发现我们是死在一起的，就像她曾发现我们是生活在一起的一样。不！只有我一个人该去的，因为她是我留在世上的唯一的可爱的亲人。"

老头子抬起头来仔细地看了威廉·西塞尔·克莱顿那有力而英俊的面容一阵，也许他看出了在他心灵深处的对他女儿的爱。过去他是太专注于他的学术思考了，以至于很少考虑小的变化，偶然的一两句话或几个词，也会使旁观者明白这些年轻人彼此正互相接近。

所以，他只好说："好吧！就按您的愿望做。"

"你也要算上我一个。"菲兰得先生说。

"不！我亲爱的老朋友，"波德教授说，"我们不能都去。把可怜的爱丝米兰达一个人留在这儿太残酷了。而且，即使我们三个都去也不一定就比一个人取得更大的成功。"

"在这残酷的丛林里，死亡的东西太多了。好吧！让我们试着睡一小会儿吧！"

十九
原始的召唤

自从泰山离开了他自小生长的大猿部族以后,部族里就不断地出现争吵、冲突和不和。脱克表现出它不过是一个残忍、任性和反复无常的头领。所以,许多老猿和体弱者,在经常遭受脱克的欺凌和不堪忍受它的暴虐之后,一个接着一个都带着它们的家族到内陆地方去寻找安全与宁静了。

那些仍然留在部落里的大猿,也因脱克不断的粗暴对待而陷入绝望之中。不过,它们中的一个想起了泰山的临别赠言:"如果你们遇到一个残忍的头领,那么你们不要孤军奋战,相反要两个、三个或四个一块攻击它。如果你们能这样做,就没有哪个头领敢胡作非为了。因为,你们四只大猿能杀败任何一个头领,它再也不会在你们头上作威作福了。"

于是那只想起了泰山聪明建议的大猿和它的伙伴进行了商量。结果,当这天脱克回到部落时,才发现一场危机正等着它。

当然这是不宣而战的。所以脱克一回到部落,就有五个高大、长满了长毛凶猛的家伙向它发起了攻击。

脱克在内心里实在是一个懦夫。它的这种心态在公猿中也与男人中的某些人一样,越是凶残暴戾者,在面对更强者时,也越显出了他怯懦的本性。所以，它并没有奋战到底，而是三十六计走为上计，迅速地逃之夭夭，窜进丛林茂密的枝叶深处藏躲起来了。以后，它又尝试过两次回到部落里去，但每一次都受到猛烈的攻击并被赶了出来。最后，它只好放弃这个打算，怀着愤懑与怨恨回到丛林里去了。

有那么些日子，它漫无目的地游荡着，满怀怨恨地寻找一些弱者以发泄它郁积的怒火。正是在这样一种心情下，它从一棵树荡到另一棵树，不期而遇地碰到了两个在丛林里的妇女。

它发现她们的时候，恰巧正在她们的上方。琴恩·波德突然看到它的时候，这个毛发披散的身体刚好落在她的旁边。她看到那张可怕的脸和带着獠牙的血盆大口，正离她只有一英尺来远，并把手向她伸了过来。

当这个畜生一下子抓住了她的胳臂时，她禁不住迸出了一声尖叫，然后就被拉向那一副向她咽喉伸来的可怕獠牙。不过，就在它要挨近她细嫩的皮肤时，大猿猛然产生了另一个念头：部落留下了所有的母猿，它必须找另外的代替她们，那么，这时它作出了一个选择，这个身上没有毛发的白猿，就将成为它的家里人。所以，它粗鲁地一下子抓起她甩到它宽大长满长毛的肩上，带着琴恩逃回树林里去了。

爱丝米兰达一度也和琴恩一样恐惧地尖叫，然后就因无法承受这意外事件的紧张，竟昏了过去。不过，琴恩却并没有失去知觉。确实，那张毛茸茸的脸就贴着她，而且它臭哄哄的气味不断地刺激着她的鼻孔。她怕极了。可是，她的头脑还是清醒的，而且也明白所有事发生的经过。

这只野兽以让琴恩惊讶的速度，扛着她穿过层层树丛，琴恩既没有哭喊也没有挣扎。这只大猿的突然出现使她心慌意乱到错以为它要把她带到海岸边去。因此，她保留着她的力气和嗓音，准备等到很靠近营地的时候，好尽力呼叫能救援她的人。她根本不知道，自己正被越来越远地带向丛林深处。

那一声尖锐的呼喊把克莱顿和两个老人都引到丛林里来的同时，也把泰山直接吸引到爱丝米兰达躺卧着的地方了。不过他关心的重点却并不是爱丝米兰达，所以，当他停了一下，看到这个黑女人并没有受伤后，就又向前跑去。

他一会看看树上，一会又仔细地审视着地面草丛。借着生存环境对他的训练，加上与生俱来的智慧，根据他奇妙的森林知识，他已经弄清楚了全部事情的经过，简直就像他曾经亲眼所见一样清清楚楚。接着他又跳上了摇荡的树枝，追逐着那高速奔跑者的踪迹而去。这些踪迹是人眼所难于观察到的，更不用说去分辨它们了。

大猿从一个树枝跳向另一个树枝时，在树梢上总会留下明显的痕迹，但是这种痕迹常常不能指明他们的去向，因为猿体的压力总是向下的，所以很难分清这痕迹究竟是它离开一棵树还是跳上一棵树时留下的。不过，在树的主干上，大猿穿过时留下的痕迹虽不像树梢处那样明显，却可以找到他们去向的踪迹。在这里可以找到被他们的大脚踩死的毛虫，从而可以使泰山肯定地指出它下一步踏在哪里。在这里他还常常可以找到小得像一片霉斑似的被大猿踏碎的什么幼虫。然后，又会是一小片被大猿的大手擦破的树皮，它的裂纹撕破的方向，也能让泰山看出经过者的去向。甚至可能是一根折断的大树枝，一片被大猿擦过的树干上留下的一撮大猿的毛发，都能告诉泰山他追赶的正确方向。他甚至无须突然调整他的速度，去捕捉这些有时不是很清楚的飞奔野兽的痕迹。对泰山来说尽管它们比之其他树丛里的痕迹较为醒目鲜明，但是更为强烈的记号还是气味。因此，泰山总是追到下风头，他的嗅觉就像猎狗一样灵敏。

有那么一些人相信低级动物比人的嗅觉更好是天生的赐予，其实不过是一个进化和退化的问题罢了。现存的人类并不完全依靠他们完美的知觉。他们日渐增强的理智力量代替了他们许多原有的本领，因此，就某种范围而言，就出现了退化的现象。例如，能让人的耳朵和头皮动的肌肉，都是因为不用而退化了。让耳朵和头皮动的肌肉是如此，把某些感觉传递给大脑神经也是如此。不过，对于人猿泰山来说许多情况并不与常人相同。从他婴幼儿时起，得以存活下来，就是依靠自己灵敏的视觉、听觉、嗅觉、触觉以及味觉，它们都比他发展缓慢的理智器官更为发达。不过，在泰山的感觉器官中发展较慢的是他的味觉。他既能吃甜美的果子，也能吃生肉，即使把它们埋藏了好久，对他也是一样的。在这方面，他吃这些东西和文明世界的美食家对美食的感觉并无大的不同。

泰山几乎是悄然无声地追踪着脱克和它的猎物。但是，泰山临近的声音还是被脱克听到了，因而它加快了速度。又追了三英里多，泰山最终赶上了他们。脱克知道再向前逃已经没用了，于是就跳到一块林间的小空地上。在这里它可以转身为它的猎物战斗，假如它不是追来者的对手，也可以迅速逃逸。

当泰山像一头猎豹一样抢先窜进这块天然的适合于原始角逐的格斗空地时,脱克还用一只手正攥着琴恩的胳膊。这时脱克才看清楚追它的原来是泰山。它的头一个反应是错把琴恩当成了泰山的女人——因为他们同属一个白色无毛发的种族。所以,它不免高兴起来,觉得这是一个双重报复它可憎仇人的机会。可是,对琴恩来说这个像天神一样的白人的出现却令她感到特别振奋。因为从克莱顿、她父亲和菲兰得先生的描述来看,救过他们的肯定就是这个奇怪的人,所以,她现在立刻就把他看成是一位朋友和保护人了。

现在脱克一下子就把琴恩粗鲁地推到一边,摆好了一副迎接泰山挑战的架式。这时,琴恩才看清了脱克的全貌,他宽阔的肩膀、有力的肌肉和那尖锐的獠牙,都让琴恩不免替泰山担心起来。他怎么能战胜这样一只强壮的大猿?

像两只迎战的公猿,他们撕扯到一起,像两头野狼彼此搜寻着对方的咽喉。对抗着大猿牙齿的,只是人的薄薄而锋利的刀刃。而这时,琴恩柔软无力的身体颓然地倚在一棵大树干上。她两手紧紧地抱在胸前,随着胸脯一起一伏。她的眼睛睁得大大的,带着恐惧、迷惑和羡慕注视着粗暴的大猿和原始男子为争夺占有一个妇女——她自己而战斗着。当泰山肩背上强壮的肌肉因用力而紧张地扭成一团时,他强壮的上臂和二头肌也在拼命地对抗着那几颗巨大的獠牙。这时泰山身上的英雄气概已经不可抗拒地打动了这位来自巴尔的摩的少女,使她的视线也变得模糊起来。

最后,当泰山的长刀十几次戳进了脱克的胸膛,大猿硕大的尸体生气全无地滚到地上时，一个完全抛弃了文明掩饰的女子，伸出双臂向那个为她进行了激烈的战斗，并且赢得了她欢心的原始男子跑了过去。

而这时的泰山呢？

他正像任何一个热血男儿无须传授生来就会的那样，一下子就把他的女人搂在怀里，用让她几乎透不过气来的亲吻压在她喘息不定的双唇上。有那么一会儿，琴恩就半闭着眼这样躺着。这一会儿，也正是她年轻生命中第一次感受爱情的滋味。但是，当这一片朦胧模糊的感受突然消失了的时候，一种受到凌辱的感觉伴着少女的羞红飞上了她的面颊，像一个害羞的妇女那样推开了泰山，用双手捂起了自己的脸。

泰山先是因为他所深深爱慕的女子莫名心甘情愿地投向他的怀抱而受宠若惊，现在又为她的突然拒斥而茫然不解。他不得不再一次地走到她面前拉住她的手，但是她却像一只雌虎一样对他发起怒来，她攥起了她的小拳头捶打着他的胸脯。

泰山简直无法理解这突然的变化。

刹那间，他原来迫切地只是一心想把琴恩送回她的那一伙人那里去的愿望，在朦胧中一去不复返了。良好的愿望遇到了让人难以对付的局面。因为，在这时人猿泰山经历了一个温柔的躯体紧紧地与他抱在一起的感受。一种热烈、甜蜜的呼吸掠过他的面颊时扇起的一股新的生命之火，正在他胸中燃烧。那完美的双唇紧贴着他激烈地亲吻，更给他留下了一个深深的、深入灵魂的印记，一个标记着新泰山的印记！

泰山再一次用手拉住她的胳膊，她却再一次拒斥了他。然后,人猿泰山只好按照他祖先能做的那样,用手臂把他的女人挟起来,带到丛林里去了。

第二天一大早,海岸边小屋里的四个人被隆隆的炮声惊醒了。克莱顿头一个冲出了小屋,他看到在海湾出口的外方,正锚泊着两艘船。一艘是"飞箭"号,另一艘是法国的小型巡洋舰。后者的船舷边正聚集着一些人,向海岸了望。对克莱顿和这时也来到这里的其他人来说,他们所听到的炮声,显然是认为他们还留在小屋里,为了引起他们的注意才发射的。两只船都离海岸相当远,所以很难说他们的望远镜是否能发现距港口很远的这几个人摇帽子的动作。爱丝米兰达甚至脱下了她的红裙子在头顶摇晃,但克莱顿仍然怕他们看不见,所以他很快地冲向港口的北面海岬,在那里堆着他已经准备好了用作信号的可点燃的草木堆。心急人行迟,对他和对在他后面屏息看着的几个人来说,似乎他花了好长时间才到达目的地。

当他拨开树荫又看见那两艘船时,他不免大吃一惊。因为这时"飞箭"号已经张帆起锚,而那艘军舰也正在缓缓前进中。他很快围着柴堆点起了火。然后他迅速跑到海岬的最远处,在那儿他把衬衣撕成布条,绑在树枝上,不断地在他的头上挥舞着。但是那两艘船仍然继续离岸驶去,他几乎完全失望了,直到浓浓的烟柱在树林顶上升起终于引起巡洋舰上一个瞭望员的注意。立刻就有十来架望远镜对着岸上看来。现在克莱顿终于看见这两条船掉转了船头。当"飞箭"号慢慢在大洋上向前行驶的同时,巡洋舰却向岸边开了回来。到了一定的距离它抛锚停下,并且放下了一只小艇,飞快驶向岸边。

当小艇抢上海滩以后,一个年轻的官员走了出来。

"我想您就是克莱顿先生吧?"他问道。

"感谢上帝,你们到底来了!"克莱顿回答说,"即使是现在或许还不太晚。"

"您是什么意思?"这个官员问道。

克莱顿讲述了琴恩·波德被劫持的经过,并且提出了派出武装人员协助寻找她的要求。

"我的天!"这个官员听了以后不由得有些悲伤地叫起来,"昨天也许还不太晚,根据情况推断,今天这位可怜的女士可能是找不回来了。真是可怕,先生,真是太可怕了。"

这会儿另外的小艇也从巡洋舰上派了出来。克莱顿向那个官员指出了海湾的入口以后,又和他坐进了小艇。于是其他小艇也跟在他们的后面,向被陆地包围着的小港湾驶去。不一会儿,他们就来到波德教授、菲兰得先生和仍然擦眼抹泪的爱丝米兰达站着的海岸边登了陆。

在最后一艘离开巡洋舰向这里驶来的小艇上,坐在官员中间的是巡洋舰的司令官。当他知道了琴恩被劫持的故事以后,立刻慷慨地征召志愿者,陪伴克莱顿和老教授去进行搜寻。在这里的所有勇敢的法兰西水手和官员,没有一个不踊跃要求参加搜索队的。

司令官挑选了二十个水兵和两位官员——得·阿诺中尉和夏庞蒂埃中尉。一条小艇很快派回巡洋舰去为搜索队取来食物补给、火药和步枪。搜索队的每个人都配备了左轮手枪。其间,司令官迪费仑舰长还应克莱顿的要求,谈了他们怎样偶然在这儿的海岸锚泊和发出鸣炮信号。他说约在一个月以前,他们发现了"飞箭"号。它正扯着帆向西南方向航行。当巡洋舰向它发出询问信号时,它却扯起满帆拼命向前逃逸。巡洋舰一直尾随着它追到日落,并发了几炮,向它发出警告,但是第二天早上却发现它不见了。

以后,巡洋舰有几周一直在沿岸巡逻,几乎忘却了那次不大的追踪事件。几天以前的一个早上,瞭望员忽然发现在波涛汹涌的大洋上有一艘船在波峰浪谷中摇摆颠簸,显然是因为失去了控制。等到他们驶近这艘好像无人管理的帆船一看,才大吃一惊地发现,这正是几周以前从他们的追踪下逃逸的那条船。

在波浪起伏的大洋上,要登上一条失去控制的海船,即使是对于一流的水手来说,也是一桩十分困难和危险的事,所以就决定等在它旁边,待风浪减小以后再说。但就在这时,有一个人爬到船栏边,有气无力地向他们发出了一个绝望地求救信号。巡洋舰立刻派出一艘小艇,并且终于成功地登上了飞箭号。这些法国水手一翻过"飞箭"号的船帮,眼前看到的却是一幕怕人的景象。十来个已死和要死的人,东一个西一个地在上下颠簸的甲板上滚来滚去。有两具尸体好像被狼吃过似的血肉模糊。

上船来的有经验的水兵很快就使船进入了平稳的航行。他们把舱面上这些倒霉的人中还活着的,都抬到舱下他们的吊床上去了。已死的都用油帆布包裹起来,固定在甲板上等待他们同伙的辨认后,再投入大海。

当法国水兵登上"飞箭"号时,活着的人中几乎没有一个人是神志清醒的,就连向他们发出过绝望求救信号的那个人,在他不知道信号是否发生作用之前，也昏倒了。

登上"飞箭"号的法国海军官员，不费多少事就弄清了甲板上这种可怕景象的原因。因为一拿来水和白兰地使几个人苏醒以后，就发现船上既没有食物也没有其他的供应了。法军官员立刻通知巡洋舰送水、药品和食物到这里来。于是其他的小艇也陆续地派到"飞箭"号上来。

"飞箭"号上的人得到给养以后，他们中有些人很快就恢复了知觉。他们这些日子是怎么过的，也就为大家知道了。关于"飞箭"号上的人怎样杀死了老鼠脸斯耐普和把他埋到珍宝箱上面的那部分，我们上文都讲过了。看起来是巡洋舰的追踪让"飞箭"号上的反叛者们大为惊恐。于是他们就拼命地向大西洋上逃去。在逃出了巡洋舰的视线以后，又走了好几天，可是当他们发现自己的淡水和食物都不多了时，他们只好掉头又向西驶回来。

不过，现在因为船上没有懂航海的人，所以，他们无法知道船究竟航行到何处。他们向西行驶了三天，可是并没有看到任何陆地的影子，只好又转而向北航行，因为他们害怕强劲的北风会把他们连续吹向非洲最南端。他们持续保持北偏东的航向，航行了两整天后，却又遇上了海上风平浪静的天气，简直无风可扬帆，就这样只得在海上飘流了一个礼拜。这时他们的淡水已经没有了，接着食物也没了。情况很快恶化。有一个人竟发了疯，翻出船帮跳到海里去了。后来又有一个人割开了自己的静脉血管，喝起他自己的血来。他死了以后，虽然有人想把死尸留在甲板上，但人们仍然把他扔到海里去了，这时饥饿已经把人性变成了兽性。

在他们遇到巡洋舰的前两天，他们已经虚弱得无力掌握这艘帆船了。就在这一天，又有三个人饥渴而死。第二天早上，人们发现他们的部分肢体竟被人吞食了。这一整天，"飞箭"号上的人大都躺在甲板上，彼此互相瞪着，就好像野兽瞪着他们的猎物一样。

现在，那些已经康复的人，终于把他们的经历都讲完了。但是，他们却说不出究竟是在哪里把教授和那几个人放逐到岸上去的。所以巡洋舰只好慢慢沿着看得见海岸的洋面航行，时不时地发出一两声号炮，并且用望远镜仔细观察着海岸。他们到了晚上就锚泊下来，为的是不放过每一段海岸线。可是，昨天晚上他们碰巧就错过了他们要找的小屋前的那一段海岸。下午发出的信号炮声，岸上的人也没有听到。无疑是因为他们正在茂密的丛林里寻找琴恩·波德，因为他们自己在灌木丛里跋涉的喧闹声淹盖了远处的炮声。

在船上的人和陆地上的人互相交换着各自的经历时，巡洋舰的小艇已经运回来供搜寻队所用的供应和武器。

不大一会儿的工夫，一个包括水兵、两位法国军官和波德教授以及克莱顿的小队人马出发了，开始了他们希望渺茫、危机四伏的丛林搜索行动。

二十
遗传的天性

当琴恩明白自己被这个奇怪的丛林生物,从大猿的爪牙中俘虏过来,正把她带走的时候,她曾拼命地挣扎着要逃跑。但是,那条有力的胳膊就像对付一个不满月的婴儿一样把琴恩夹得更紧了。所以,她现在干脆就放弃了无益的努力,静静地躺在他的腋窝下,通过半闭着的眼睑看着这个正在大步流星穿过草丛的男人的脸。

这张正在她上方的脸却是出奇的英俊。

这是一张健壮男子完美型的脸,它丝毫不带放荡、胡闹、野蛮、贪婪的表情。虽然人猿泰山是一个野兽和人的杀手,但他的杀戮就像人们狩猎一样地平静不动感情。除了极少数的情况下,他才为了憎恨而进行杀戮,可是,这也不是那种蒙上丑恶嗜好特色的屠戮。当泰山进行杀伤的时候,他脸上往往带着笑意,而笑意总是一种美好的象征。

有一件事琴恩是特别注意到了。这就是当泰山冲向那只大猿脱克的时候,他脸上从左眼上方一直到发际有一条鲜红的疤痕,而现在却不见了,只在那地方留下了一道白线。

当她终于安静地躺在泰山的手臂里时,泰山也就稍稍放松

琴恩并不感到害怕，反而觉得是她一生中最安全的时刻。

了对她的夹持。不过，有一次他竟还低下头来，看着她微笑了一下。此时，这位女士却不得不赶快闭上眼睛，躲开这位潇洒迷人的男士的目光。

这会儿泰山跳到了树上。琴恩奇怪的是，她并不感到害怕。现在躺在这个野人强有力的手臂中，反而使她觉得就多方面而言，是她一生中最安全的时刻。尽管天晓得，他要把她带到什么地方，将来的命运又如何，他们只是越来越深入地走进荒野沉寂的、人迹罕至的大丛林之中。

当她闭着眼睛的时候，她开始盘算着她的命运，这时恐惧和担忧已经化解为生意盎然的想象了。因为，只要她张开眼睑，看一下离她那样接近的那张男子汉高尚的脸，她最后一点残留的惧怕也会烟消云散。

不，他绝不会伤害她。对此她坚信不疑。从他那英俊的面貌和那坦率勇敢的眼神里，已经读出了它们所表明的慷慨豪侠的骑士气概。

对琴恩来说，他们总是不断地穿过一团团巨大而浓密的青葱树木。然而，对这个森林之神来说，好像由于什么魔法，在他前面总有一条通路似的，可是在他们走过之后，琴恩觉得这条路又关闭了。尽管至今还没有一根树枝碰伤过琴恩，可是她觉得周围上下左右前前后后，没有别的，都是无法摆脱的一大块由树枝和藤蔓植物编织的浓荫。

这时泰山正一直大步向前走去。可是他的脑子里却正充满许多陌生而新奇的思想，眼前就有一个他从来也没遇到过的问题。他不是用理智而是用感觉认为，他处理这个问题要像人那样，而不是像猿那样。

当他顺利地穿过了中部的一段坡地时，他已经走完了他选定的路线的一大半路程了。这有助于使他第一次经历狂热爱海的热情冷静下来。现在，他发现自己正在考虑着，要不是他把这个女子从脱克的手中救了出来，那她的命运将是怎样的呢？他知道脱克不杀她的意图。而且，开始比较他的意图和脱克的区别。当然，在丛林里是有这么一种习惯，雄性可以通过强力夺取他的伴侣。可是泰山能按这种野兽的规律办吗？难道他不是一个男士吗？可男士又该怎样做呢？他根本不知道，他不禁迷惑起来。他希望或者通过询问一下这位女士来揭开自己的迷惑，可是，他忽然醒悟过来，在她要逃跑和拒斥他的无效挣扎中，她不是已经回答了他的这个问题了吗？

现在他们终于来到了他的目的地。腋下夹着琴恩的人猿泰山从树上轻巧地荡到了那块大猿们举行会议和跳野蛮而狂热的鼓宴的林间空地上。虽然，他们已经走了许多里路，但是，这会儿也还不过是下午太阳刚偏西的时间。此时还有大半个广场沐浴在阳光之中，只是阳光是通过周围树叶的缝隙透射到地面上来的，绿色的草坪看起来既柔软又清凉宜人。此时，丛林的喧嚣似乎已经远去了，而且，减少到仅仅是有一种模糊的回声，就像远处时起时伏的一阵阵拍击海岸的浪涛声。

当泰山把琴恩放到草坪中柔软的草地上时，一种梦一样的和平感觉潜入她的身心。她抬眼看着在她上方耸立着的泰山硕大的身影，更增加了她奇异的安全感。就在她从地上半闭着眼睑看着他的时候，他正穿过圆形的空地向对面一侧远处的树木走去。她注意到他雅致高大站立着的姿势，完美对称的雄健体态，和那颗在宽阔肩上轮廓分明的头部。多么完美的一个人呀！在这副像神人一样的外表下面，是绝不会包藏着残忍和卑劣低级思想的。不，绝不！她觉得难道上帝不正是第一次仿照他自己的样子创造出这样一个男子来到地上的吗？

这时泰山已经走到一棵大树下，只一跳，他就蹿了上去，然后就消失在树丛之中了。琴恩奇怪他究竟要到哪里去？难道他要把自己丢给这座寂静的丛林去听凭命运的安排？她有点紧张地向四周瞥了一眼。每一处巨大的草丛或树荫都像是一个庞大而可怕的野兽巢穴。那野兽说不定正等待着时机，把它突然露出的獠牙插进她柔嫩的皮肤里去。每一声细微的响动，在她听来都像是一条蜿蜒爬近的什么蟒蛇。

他离开她以后，她的感觉怎么这样不同？

有那么几分钟，这位被吓坏了的女士紧张地坐在那里，就像挨过了好几个小时似的。她随时在等待着，好像就要有什么趴伏着的东西会突然跳起来结束她痛苦不堪的担忧。她几乎要乞求某种残忍的牙齿，使她无所知觉地快些结束她恐惧的烦恼了。忽然，她听到身后有一声轻微的响动，她叫了一声就跳起来转过身来。

那里正站着泰山！他手里抱着一大捧成熟的甘美的果子。

要不是泰山及时放下果子扶住了琴恩的胳膊，她被泰山冷不防的出现吓得几乎要晕倒了。她并没有丧失知觉，但是她紧紧地靠着泰山，哆哆嗦嗦地颤抖着，就像一只吓坏的小鹿。

人猿泰山抚摸着她柔软的头发，试图去安抚和使她平静下

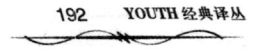

来,就像卡拉从前在他还是一个小小的人猿时,被豹子、狮子或希斯塔蟒蛇吓坏了时对他那样。他再一次用嘴唇去轻轻地亲吻了她的前额一下。这一次她并没有躲避,只是平静地闭上了她的眼睛。

琴恩无法分析自己的感觉,也不想去分析它。她只是满足于去感受抱扶着她的那双有力手臂给予她的安全感,并把自己的未来留给命运。因为,最近几个小时以来,事实已经教会她去信赖这个奇怪的丛林野人,就像信赖她的几个有限的亲人一样。当她想着这件事的奇妙时,她似乎有点开始明白了事实的真相。她很可能已经(尽管以前她从来也没真正懂得过)有点爱上了他。她觉得这真是不可思议,然后不由得微笑了一下。而且,她仍然微笑着,轻轻地推开了泰山,带着微笑和俏皮地看着他。这种表情使她的脸更加显出迷人的美丽。她指指掉在地上的果子,然后就一屁股坐在人猿们的那只土鼓旁边,她的肚子已经向她提出抗议了。

泰山很快捡起了掉在地上的果子,并把它们放到她的脚边。然后,他也坐到她的旁边,并且用他的刀子给她削起了果子。他们一块儿静静地吃着,有时他们互相偷偷地瞟对方一眼。直到最后,琴恩止不住嘻嘻笑了起来。泰山也笑了。

"我希望你能讲英语。"我们的女士说。

泰山摇了摇头,眼睛里带着一种渴望的表情和无可奈何的凄伤目光。琴恩又试着用法语跟他说话,接着又用德语,结果反而使她对自己这最后一种语言的洋泾浜语调失笑起来。

"横竖,"她最后只好用英语对他说,"你权且就当我的德语就跟他们在柏林说的一样吧。"其实泰山根本就不懂德语,并不是琴恩的德语说得太离谱。

泰山一直等了好久才作出了决定,究竟下一步他该如何行动。因此,他有时间回忆起他从小屋的书中读到的男人和女人所有的行动方式——他要像那些处在他的境况下的男人一样行动。

他又一次站起来走进树林里去,不过,这一次他第一次试着打了手势,表示他不一会儿就会回来。他的这个表示做得很好,琴恩很容易就明白了,对他的离去也不感到害怕了。只不过当她看着他离去的地方,一种孤寂感向她袭来,她只好带着一种乞盼的眼神等着他归来。

身后一阵轻微的声响,琴恩已经能判断出泰山的到来,她转身就看到泰山抱着一大抱树枝,穿过空场走来。

然后,他又走回到丛林里去,没有多久他就抱回大量柔软的草和蕨类植物。接着又去了几趟,直到他手边已经有了一大堆材料。然后,他就把草和蕨类植物都铺开,在地上搭了一张柔软而平展的床铺,而且在它上面架起了许多交叉的树枝。离地面有几英尺高。在它的上面他铺上了一层巨大的象耳树叶。最后,他又用树枝把他建造的这个小窝铺的另一面堵了起来,并盖上了树叶。

然后,他们一起又坐到了土鼓的旁边,试着用手势交谈。

挂在泰山脖子上的那条镶着华丽宝石小盒的项链,引起了琴恩极大的好奇心。现在她指了指它,带着询问的意思。可是泰山竟把这件小玩意摘了下来,双手递给了她。她注意到这是一件精美的工艺品。那颗宝石既华美又昂贵,只是那些雕刻却显得有些过时了,表明它是属于过去很久的一个年代的东西。她还发现那个小盒子是可以打开的,她一按那藏着的开关,这小盒子就在她面前向两面跳开了,而在每一面里都镶着一张发了黄的肖像。

一面是一位美丽的妇女,而另一面除了一种难以解释的表情上的微妙不同外,却是一位很像坐在她旁边的这位男子的人。琴恩一抬头就看见泰山正紧靠着她,带着惊讶的表情看着那两张相片。他伸出手从琴恩那里拿回来那个小盒子,带着不容置疑的吃惊的手势和新的兴趣,审视着那相片。他的态度清楚地表明,他从来也没有看见过它们,而且也没有想到过那个小盒子能打开。这些事实使琴恩陷入更深一步的思考,她竭力想象这样一个美丽的装饰品,究竟是怎样落入人迹罕至的非洲丛林里这位野人手中的。而且更奇怪的是为什么这张相片竟与树林里这位半人半神的野人有某种相似;可能就是他的一个兄弟,甚至是他的父亲,然而这个野人就连这个小盒子能够打开,都一无所知!

泰山仍然目不转睛地看着这两张脸。忽然,他想起来从肩上摘下了箭袋,倒空了里面的箭,从这只像口袋一样的东西底部,掏出了一件扁平的用柔软树叶包得严严实实并用细草捆牢的物件来。他小心地把它打开来,去掉一层层的树叶,最后他拿出来一张照片。

这张照片更增加了琴恩的迷惑不解。因为,显然那个男子的这一张照片,就是放在小盒子里的那位年轻美丽女子照片旁边的那一张,他们是同一个人。而当她转头看泰山时,他也正满脸惊疑地望着她。

琴恩指指照片又指指那张照片,再指指他,就好像表明她认为他们都很相像。但是,泰山只是摇头,然后又耸了一下他的大肩膀,就把照片从她手中拿过来,小心地又把它包起来,重新把它放回箭袋的底部。有好一会儿他只是默默地看着地上的什么地方。而这时琴恩却把那只小盒子拿在手里翻来覆去热心地翻看着,想寻出某些线索,可以指认出它们原来的主人。

最后,她终于想出了一个简单的解释!

这个小盒子曾属于格雷斯托克爵士,那里面的相片就是他自己和爱丽丝女士。这个野人只是从海边的小屋里发现了它罢了。她多么笨,怎么以前就没有想到这样的解答呢?可是说到格雷斯托克爵士和这个"丛林之神"出奇的相似,那她就无法解释了。而且,一点也不奇怪,她不可能想到这个半裸的野人会是一个英国贵族。

最后,泰山抬起头来正看到琴恩在查看着那只小盒子。他虽然无法了解盒子里人像面貌上的含义,但是,他却能看出坐在他旁边这位活生生的女士脸上流露出的对它极感兴趣和迷恋的表情。

这时琴恩也发现泰山正看着她。她以为泰山是想要回他的装饰品,就把它递还给他。他接过来以后,却用两手拿着链子,把它挂在了她的脖颈上,并且对她意外地收到他的礼物显露出来的惊讶表情笑了起来。

琴恩猛烈地摇着头,想要从自己的脖子上摘下那条黄澄澄的链子,但被泰山紧紧地握住了双手动弹不得。后来她只好放弃挣扎,笑着把小盒子放到唇上吻了一下。

泰山并不能准确知道她的意思，但他确切地猜到这是她表示感谢的一种方式。所以，他站起来，拿起了那只小盒子，严肃地弯下腰，就像古老的朝臣一样，也把他的嘴唇在她吻过的地方吻了一下。这是一次并非出于有意识而做出的庄严、讨好的小小的致敬行为。这是他贵族出身的一个标志，是多少代良好教养的一种自然流露，它是一种遗传的高雅本能，不是野蛮粗鲁的生活和环境所能改变的。

现在天已经黑了下来。所以，他们又吃了一顿果子。它们既是他们的饭食，又是他们的饮料。然后，泰山站起来，把琴恩领到他为她建造的那间小小的"闺房"，并示意她住进去。

起先，有好一阵子，琴恩感到一种莫名的恐惧，而且泰山也感觉到她对他有畏惧感。但是，和这位女士接触了大半天的泰山已经和早上太阳升起时的他很不一样了。现在，他的每一根神经纤维中先天遗传的本能作用都胜过了后天习惯的作用。他并不是一转眼之间就会从一个野蛮的猿人变成一个完美的文明人，但是，一个文明绅士的本能，却最终在他身上占据了优势。而且，归根到底，他要让自己所爱的女子欢喜的愿望却是压倒一切的，并且努力使自己在她眼里有个好印象。所以，泰山就尽力做了他所知道的唯一能表示他会保障琴恩安全的事。他从鞘子里抽出了他的猎刀，把它递给了她，并且再次示意她到她的小屋里去。这次琴恩明白了，拿着长刀走进了小屋，躺到柔软的草铺上。这时，人猿泰山也在小屋的门口，直挺挺地打横躺了下去。

他们就这样一直安睡到第二天早晨日上三竿。

当琴恩一觉醒来时，她并没有一下子就想起来前一天那些奇怪的遭遇。所以，她很奇怪周围这些不寻常的环境。这座树叶的小屋、她柔软的草铺以及从脚前的门口看到的不熟悉的景色。

慢慢地她在这一环境下所处的地位，才一点一点被她记了起来。然后一种巨大的情感激荡在她心中。这是她对在可怕的危难中没有受到伤害的一种感恩不尽的深厚感情。

她想到小屋的门口去看看泰山，发现他已经走了。但是，这一次她并没有受到恐慌的冲击，她肯定他还会回来的。在小屋入口的草上，她看到他为了保护她躺在这里一夜留下的压痕。琴恩知道，事实上他躺在这里完全是为了使她可以睡得安全而平和。有他在跟前，谁还用得着恐惧呢？她相信没有什么会比她和泰山在一起更安全了。现在，她就是对狮子和猎豹都不感到恐惧了。

她一抬头就看到泰山灵巧自如的身体，从附近一棵树上轻轻地跳了下来。当泰山发现琴恩的眼睛正看着他的时候，他的脸色变得坦率而高兴起来。正是这种表情前一天赢得了她的信赖。就在泰山向她走来时，琴恩的心也不由得跳了起来，脸上也露出了欢喜的表情。这是她以前接近任何一个男人时所没有的。

琴恩开始猜想他的计划究竟是什么？他会把自己送回海边，还是留在这儿？突然，她明白了，事情不会让她太担心，只是她自己瞎揣摩罢了。她还开始想到，她在这个非洲腹地的森林"乐园"里，坐在这个微笑着的魁伟男子汉身边，吃着美味的果子，既心满意足又感到十分快乐。可是，她不能理解的是：自己的理智告诉她，她本该是被狂热的焦虑所粉碎，被死亡的恐惧所压倒，被种种不祥的预兆弄得沮丧绝望；但是相反，她的心却在欢唱，并在用同样的微笑回应着坐在她身旁的这个男人。

当他们吃完了早餐以后,泰山走进她的小屋拿回了他的猎刀。琴恩对它已经完全遗忘了。她知道这完全是因为她早就不记得接受它时的恐惧了。

泰山一面示意琴恩跟着他,一面向圆形空地一边的树丛走去。然后,他用一只有力的胳膊夹起了琴恩,抓着上面的树枝向前荡去。她知道他这是要把她带到她的人那里去。可是,不知为什么她突然有一种悲凉和寂寞的感觉。

有那么几个小时,他们一直不停地慢慢向前荡去。泰山并不急于赶路。他尽量想从这场旅行中享受甜蜜的快乐,因为有一只亲爱的手臂搂着他脖子的缘故。当然,时间越长越好,所以,他向着海边直线距离的南方绕去。

有几次他们停下来稍稍休息,其实这对泰山来说并不是很需要。到了中午,他们在一处小溪流旁停留了约一个小时。在那儿他们既喝足了水,也喂饱了他们的肚子。

就这样到了太阳落山的时候,他们来到一处开阔地。泰山从一棵大树上带着琴恩跳到地上。然后,他分开地上高高的草丛,把远处海边的小屋指给琴恩!

琴恩拉着泰山的手,领着他向那里走去。她是想告诉她的父亲,正是这个人救了她,使她免于死亡,或者比死亡更糟的事。而且,他照顾她非常周到,就像父母对孩子那样。

但是,野生动物面对人类聚居地所产生的怯懦,又一次影响了人猿泰山。他一面摇着头,一面向后退缩。琴恩却向他靠拢过来,抬头看着他,带着乞求的目光。不知为什么,她无法忍受让他一个人再回到可怕的丛林里去的做法。他仍然摇着头,而且最后他把她拉向他的身边,非常有礼貌地俯身把她亲吻了一下。只是这一次,他直视着她的眼睛想知道她是高兴,还是要表示拒绝。

琴恩一瞬间迟疑了一下,然后她就明白了事情的真相。她一下子用她的双臂搂住了泰山的脖子,把他的脸拉了过来,一点也不害羞地亲吻着他,嘴里喃喃地说:

"我爱你——我爱你……"

这时,从远处传来了模糊的枪炮声。泰山和琴恩都抬起头向海岸望去。

从小屋里跑出来的是菲兰得先生和爱丝米兰达。可是从泰山和琴恩站着的地方,并不能看到海湾里锚泊着的两只船。

泰山向枪响的方向指了指,又把一只手放在胸上,又向那个方向指了指。琴恩明白了,他要走了,而且,似乎是他认为她的人一定是有了什么危险。然后,他又吻了琴恩一次。

"你要回到我这里来。"她小声地说,"我一定等着你,永远等着你。"

他终于走了。琴恩这才转身穿过开阔地向小屋走去。

时间已经是黄昏了。虽然,菲兰得先生是近视眼,他却是头一个看见了琴恩。

"快点,爱丝米兰达!"他大叫着说,"我们快点到里面去躲躲,它是只狮子!啊!我的老天。"

爱丝米兰达根本就没有为证实菲兰得先生的视力费一点力气。因为,菲兰得先生的声调就足够使她毛骨悚然了。还没有等他叫完爱丝米兰达的名字,她在小屋里一下子就把门甩上了,而且把门闩插牢。所以,"啊……我的老天"其实是菲兰得先生发现爱丝米兰达用迅猛的力气把他关在门外,留在狮子的这一边,而发出的恐惧的狂叫。

他发狂地敲打着厚重的门板。

"爱丝米兰达!爱丝米兰达!"他尖叫着,"让我进去。我就要让狮子活吞啦。"

可是,爱丝米兰达却误以为这场喧闹是狮子追捉她,用爪子在门上扑打弄出来的。一害怕,老毛病就犯,她又晕倒了。这时,菲兰得先生向背后恐惧地扫了一眼。我的妈呀!那东西已经离他很近了。于是,他试着想攀上小屋的一侧,侥幸地一把就抓住了茅草的屋顶。

有那么一小会儿,他就吊在那里,就像一只猫挂在晒衣绳子上,两只脚乱蹬一气。但是,想不到他抓住的一把茅草竟然断了。菲兰得先生随着它就跌了下去,摔了个仰面朝天。

就在他摔下来这一刻,一个非凡的早就听说过的自然界的话题,跳入他的意识(对!狮子是不吃死人的)。所以,当他跌了个四仰八叉时,立刻就把胳膊和腿伸得直直的,给人留下的深刻印象完全是一副死人的样子。

琴恩以一种宽容的目光,从头到尾看了菲兰得先生这一套滑稽动作。现在,她实在忍不住咯咯地笑了出来。尽管声音不高,但是足以使菲兰得先生一听见就一骨碌翻身爬起来,向四周瞅来瞅去。最后,他到底发现了琴恩。

"琴恩!"他不由得大叫起来,"琴恩·波德。谢天谢地!"他噌地跳了起来,向她跑过去。他简直无法相信这是她,而且还活着。

"我的老天!你从哪儿来?你跑到这个世界的什么地方去啦?

你怎么……"

"菲兰得先生,让我喘口气吧!"琴恩插进来说,"叫我一时可怎么回答你这一大堆问题。"

"好吧,好吧!"菲兰得先生说:"我的老天!我让看见你的惊讶和喜悦把我的头都搞昏了。你终于安全地回来了,我简直都不知说什么好了。那么,快点吧!说说事情发生的全部经过吧!"

二十一
黑人村子里

那一小队水兵搜索队艰难地穿过浓密的丛林,他们寻找琴恩·波德踪迹的努力也越来越变得徒劳。但是,波德老人的悲伤和那位英国年轻人眼泪汪汪的样子,使心肠仁慈的得·阿诺不能放弃继续搜索而命令他的小队转身回去。他想也许有一点点可能找到她的遗体或她的残骸。因为,他肯定她一定是被什么猛兽吞食了。得·阿诺分派他的人成散兵线的队形,从发现爱丝米兰达的地方开始跋涉向前。他们一面挥着汗水,一面气喘吁吁地穿过藤蔓缠绕的草丛,缓慢地行进着。到了中午他们才不过向内陆前进了几英里。他们停下来休息了一小会儿。当他们又开始前进以后不久,他们中的一个人竟发现了大象踩出的一条崎岖小路。

这是一条古老的象径。得·阿诺和波德教授及克莱顿商量了一下之后,决定循着这条小径找下去。这条小径弯弯曲曲穿过丛林向东北方向伸展下去。沿着这条小路走,他们只能排成一列纵队前进。得·阿诺中尉在队伍的最前面,因为这条小路还算开阔,所以他走得很快。紧跟在他后面的是波德教授,但是,显然他赶不上这位年轻人,所以得·阿诺一个人走到队伍前头差不多有一百码。就在这时,突然有六七个黑人武士从他周围蹿了出来。得·

阿诺赶快向他后面的人发出了警告的呼喊,就在他还没有来得及拔出手枪的时候,围上来的黑人已经把他捆住拖进了树林。

得·阿诺的呼叫引起了水兵们的警惕,他们有十来个人冲过老教授的身旁,沿着象径跑去帮助他们的队长。他们并不知道队长为什么呼叫,只知道这是前面有什么危险的一种警告。他们一气冲到得·阿诺被绑走的地点,这时却有一支标枪从树林中飞出来,刚好把他们中的一个人扎倒。接着又是箭如飞蝗般地向他们射来。于是他们举起了来复枪向投出枪、箭的灌木丛那儿开了火。带着后卫部队的夏庞蒂埃中尉,现在也跑到了出事的现场。在了解了伏兵的详情以后,就命令他的人随着他冲进浓密林木中去了。

有那么一阵他们简直是和约五十个孟格村的黑武士进行了肉搏战,此时,枪弹和毒箭纷飞。怪样的非洲刀和法国步枪枪托你来我往,好一场野蛮的血战厮杀。但是很快黑人们就逃进了丛林,不知去向,留下了法国人去清点他们的伤亡。他们的二十个人中,有四名不幸阵亡,还有十一二个人受伤。得·阿诺上尉也不知去向。夜幕已很快降临。此时,他们连一直追寻着的象径也看不见了,他们的处境越发地困难起来。

现在他们只有一件事能做,赶快扎营,等待明天天亮再说。夏庞蒂埃中尉命令他的人清出了一小块空地,并用矮树枝围起了一圈鹿砦,这件工作天黑不久以后就完成了。同时,他们在空地的中间又生起了一大堆火,以便在旁边照亮他们的工作。当抵御野兽和敌人的一切都尽可能做得安全以后,夏庞蒂埃中尉在小小的营地周围布置了哨兵。其余的人又累又饿,都横七竖八地躺在地上睡了。

受伤者的呻吟混合着被火光骚扰和吸引来的野兽们的咆哮和吼叫,使疲乏的人们在熟睡时不时地被吵醒。这是一支充满伤痛和饥饿的小队,他们正躺在那里度过漫漫长夜乞盼着天亮。

捉到得·阿诺的黑人并没有参加后来的战斗,就拉着俘虏穿过一小段树林,边走边抹掉了他们的脚印,向远离他们的伙伴们正在战斗的相反方向前进。

他们拉着得·阿诺走得很快,战斗的厮杀声也越来越远,直到得·阿诺的视线里突然出现了一大片开阔地。在它的另一边,竖立着一座有茅草屋和木栅栏的村子。此时,天已经黑了下来,但是大门口的守望者还是看见走过来三四个人。而且,当他们还没有走到大门前时,门卫们已经分辨出其中有一个是俘虏了。于是一声呼喊之后,就有一大群妇女和孩子迎着他们跑来。

然后,我们的这位法国军官遇到了最可怕的经历。这是人们在地球上可以遇见的一个吃人的黑人村庄怎样接待一个白人囚犯的全过程。不过,保留对于他们野蛮残忍记忆的同时,还应知道那些白人伪君子官员对黑人和他们的家人们更为残酷得多的野蛮行为。例如比利时的利奥波德二世。正是由于他们的暴行,黑人们才不得不逃离刚果的自由国土。这是一个一度相当强大的部族,不过现在却只剩下可怜的残余了。

他们用棍棒和石块打他,用他们爪子一样的手去撕抓他,扯光了他身上几乎所有的衣裳,无情的拳脚雨点般捶打着他赤裸颤抖的肌肉。不过,这个法国人绝不因疼痛而呼叫,他只是默默地乞求上帝快些把他从酷刑下解脱出来。但是,他乞望的死神却姗姗来迟。

现在,他们来到村子的中间。在这里得·阿诺被牢牢地绑在一根大柱子上。在这根柱子上还从来没有一个人能活着被放下来。

直到天完全黑下来,所有的人都回到村子里来以后,围着已被"判决"了的军官的死亡之舞才开始。被弄得半死不活的得·阿诺从半闭着的眼皮下面好像看到了什么古怪的幻影,和他终会从中醒来的某种可怕的梦魇。

狰狞的面孔乱涂着各种颜色,一张张大嘴,松垂的下唇,发黄的牙齿磨成尖利的样子,骨碌碌转着的像精灵一样的大圆眼睛,发光的裸着的皮肤,凶残的标枪。得·阿诺真的连做梦都不会想到世界上还存在着这样一种生物。

这些野蛮的、旋转着的身体,围着他越来越近。现在有一支标枪一下子就扎在了他的胳膊上。钻心的疼痛和灼热感以及滴下来的鲜血,使他确信可怕的现状是绝无一点希望了。

另一枪又刺过来,接着又是一枪,他闭上了眼睛,咬紧了牙关,他决不愿意因疼痛而喊叫出来。他是一个法国士兵,他要叫这些野蛮的家伙知道,一位军人是怎样慷慨就义的。

人猿泰山用不着什么解释和翻译就明白了远处枪声的原由。带着琴恩·波德吻在他唇上仍然留下的温馨,他在树枝间用惊人的速度一直向孟格村荡去,他对于那场小遭遇战的现场一点也不感兴趣,因为他判断它很快就会结束。而且,对那些已死亡的他无能为力,那些逃跑的也无需他的帮助。他是为那些既没被杀死、也没有逃走的人而匆匆赶去的。

　　泰山已经有多次看到孟格村的搜捕小队从北面的什么地方带回来俘虏，而且从多堆燃烧着的飞舞火光中看到俘虏被绑到那根大行刑柱上被杀的惨象。他也知道他们不会在他们的俘虏前浪费太多的时间。只是他不知道他是否能及时赶到。

　　在他全速前进的途中，夜幕已经降临。他沿着高地的丛林在半空中前进。美丽的热带月亮，正照着他穿过波浪形的树顶的轻柔树枝。这时他已看见了远处的一团火光，就在他前进道路的右方。这肯定是营地的火光，不过泰山这时还根本不知道水兵的事。泰山对丛林太熟悉了，所以他并没有改变路线。只是在离火光还有半英里的地方绕了过去，这里正是法国水兵的营地。

　　没有多一会儿泰山已经荡到孟格村上方的树丛中了。啊！他来得还不太晚，难道不是这样吗？他一时还说不准。因为，那绑在木柱上的人影一点声音也没有，只是那些黑人武士还在不停地扎他。泰山了解他们的习惯，死亡的最后一击还没有施行。他可以一分不差地说出黑人的死亡之舞将在何时结束。等一会儿，尊长孟格的刀就会割掉受刑者的一只耳朵，这才是标志着一切即将结束的信号！因为这时死亡就是对他唯一的宽容仁慈了。

　　死刑柱距最近的大树约有四十英尺。泰山拴好了绳套。就在跳舞的这一群恶魔般的人的上方，响起了人猿那令人毛发倒竖的挑战吼叫。

　　跳舞的人群一时像木刻石雕般呆在那里。绳套带着风的呼啸声飞过黑人们的头顶，在营火的摇曳闪光中一点也看不见它的去向。

得·阿诺刚好睁开了眼睛,只见就站在他面前的一个高大的黑人忽地向后倒去,就像被一只看不见的胳膊猛推了一下。那个黑人挣扎着、尖叫着、左右翻滚着,却很快被拖向一棵大树的阴影下。

黑人们吓得张大了眼睛,呆若木鸡地看着这情景。

那个大黑人一被拖到大树下,他的身体径直升入空中,就像消失在树叶中似的。剩下来被恐惧弄昏了头的黑人们,突然大呼小叫地蜂拥着向村外跑去。

场子上只剩下了绑在柱子上的得·阿诺。尽管他是一个勇敢的人,可是当他听到那一声从空中发出的不可思议的吼叫声时,也不由得毛骨悚然起来。尤其当那具黑人的身体翻动着,像被一种神力拖拉着消失在浓密的树叶中时,得·阿诺感到有一股冰冷颤抖地流过他的脊梁,好像是从黑暗的墓穴中伸出来的一只死亡的手,把冰凉的指头放到他的肌肉上一样。

得·阿诺注视着那具身体隐没进树叶中去的地方,他听到了有什么东西在那里动,那里的树枝也好像因身体的压力在晃动。说时迟那时快,只听得"咔嚓"一声树枝断裂了,那个黑人四肢伸开、仰面朝天地跌落下来,一动也不动地贴在地上。随着他的跌落,一个白色的身体飘然而下,直立在地面上。

借着火光,得·阿诺看见从树荫里走出一个四肢匀称的年轻高大的白人,快步向他走来。这意味着什么?他是谁?是祸是福?无疑又是什么新的磨难要来了。得·阿诺等待着。他的眼睛一刻也没离开来人的脸,甚至来人那双坦率明亮的眼睛的一闪一动,都在得·阿诺的凝视之中。他的恐惧开始有些消除了,但还不敢抱太大的希望。不过他相信在这样一张清秀的面孔下,不会隐藏着一颗残酷的心。

　　人猿泰山一句话也没有说就割断了法国人的绑绳。由于酷刑的折磨和失血的消耗,要不是那只有力的手扶住了他,阿诺早就支撑不住了。他觉得自己好像被带离了地面,有一种飞翔起来的感觉,接着他就昏了过去。

二十二
搜索队

当曙光显现在丛林深处法国人的小营房上面时,这里的人正处于一种悲伤和沮丧的状态中。一旦看清了周围的景物,夏庞蒂埃中尉就派出了几个三人小组,向各个方向搜寻象径的踪迹。还不到十分钟就被他们找到了。于是探寻队立刻动身返回海岸。只是他们行进得很缓慢,因为他们要携带六具尸体,其中有两具是在夜里死去的。而且,还有几个人走得很慢,还需要人扶持。

夏庞蒂埃中尉决定回到海边的营地进行补充。然后,试图追捕土人搭救得·阿诺。

直到这天的下午,这一队筋疲力尽的人才到达海岸前的空地。除了波德教授和克莱顿以外,其余的人都忘记了他们的伤痛和悲哀而终于松了口气。

可是这一小队人走出丛林的边缘以后,出乎波德教授和克莱顿意外,他们头一个看到的人,却是站在小屋门口的琴恩!

她一看到他们,就放心地欢呼了一声,向他们迎上前来,一下子搂住了她父亲的脖子,不由得大哭起来。这是他们自从被流放到这令人可厌和充满危险的海岸以来,她第一次难以控制自己感情的爆发。波德教授却努力摆出一付男子汉的气概,强压着他自己的情感。但是,他的神经和虚弱的生命力,对于连日的紧张和焦虑,也实在是难以承受了。所以,最终他竟然像个疲弱的小孩子一样,把脸埋在他女儿的肩头,无声地抽泣起来,后来还是琴恩扶着他回到小屋里去了。其余的法国人都向海边走去,那里有几个他们的人走过来迎接他们。

克莱顿有意留他们父女在一起,所以他加入到水兵之中,并和几位官员谈了一会儿这几天的情况。直到把法国人都送上小艇,向军舰划去。在那里夏庞蒂埃中尉将报告他们的不幸遭遇。

克莱顿转身慢慢向小屋走去,他心中这时正充满幸福感,因为他所爱的那位女士已经安全了。他很奇怪她遇到了什么奇迹才会得救,能看到她还活着就很不可思议了。

当他走近小屋时,正好看见琴恩从里面出来。琴恩一看到他,就匆匆向他迎来。

"琴恩!"他叫道,"上帝真是对我们恩宠有加。真是!告诉我,你是怎么逃回来的?是什么样的天意使你安全地回到我们中间?"

他以前从来也没这么亲密地叫过她的教名。如果在四十八小时以前,琴恩听到克莱顿这样称呼她,或许会使她充溢着一种温柔的喜悦。可是,现在却使她有些不安。

"克莱顿先生,"她一面伸出了手,一面平静地说,"首先得让我感谢您对家父的勇敢和忠诚。他曾对我说过您的自我牺牲精神是如何的高尚。我可怎样报答您啊!"克莱顿虽然注意到她并没有对他亲热的招呼给以相应的回应,但是他觉得也没必要对此过于担心。毕竟她遭受了一场很不寻常的经历。在这种情况下，还不能着急把爱情强加给她。

"啊！只要看到您和波德教授都平安、健康而且又团聚在一起，"克莱顿说，"我就已经得到足够的回报了。我真是无法想象再继续经受他那种沉默寡言无处倾诉的悲痛感情了。波德小姐，这可真是我平生最哀伤的经历。除此之外，我还从来没有过这样的悲痛。不过，波德先生的悲哀却是那种更为绝望、更令人怜悯的一种哀伤。这告诉我还没有一种爱，甚至一个丈夫对妻子的爱，能比得上一个父亲对女儿的爱那样深沉和具有忘我牺牲的精神。"

琴恩低下了头。这里她有一个很想问的问题，可是在这两位爱她的男士面前，这个问题似乎有些亵渎。尤其当他们忍受着可怕的伤痛之时，她却坐在那个像丛林之神一样的人旁边，幸福地笑着吃着美味的果子，互相爱慕地对望着。

不过，爱情毕竟具有主导一切的力量，而且人类的天性也有时是神秘难测的。所以，她还是提出了她的问题。

"那个丛林人在哪儿？他不是救你们去了吗？为什么他没有和你们一起回来？"

"我不明白你说的是谁？"克莱顿说。

"就是他，那个救了你和我的人，就是他把我从猩猩手里救下来的。"

"噢！"克莱顿吃惊地叫了一声说，"原来是他救了你！关于你的危险经历你还一点也没对我说过，不是吗？"

"可是那个丛林人，"琴恩着急地说，"难道你们没见过他？当我们一听到远处隐约的枪声时，他就留下我走了。当时，我们刚好到了海岸前开阔地那里。他匆忙地向正在交火的地方去了,我明白他是去帮你们的。"

她的语调几乎带着恳求的意思,她的态度也因感情的压抑而有些紧张。克莱顿虽然注意到了这一点,可是他颇感奇怪的是,为什么她这样激动,这样迫切地想知道那个陌生人在哪儿?加之,还有一点也许是不自觉的多心,因此在他心里萌发了对那个也救过他命的人猿的嫉妒。

"我们没有见过他,"他有点满不在意地说,"他没去我们那儿。"然后,又考虑了一下说,"可能他参加到他自己的部落里去了,就是攻击我们的那些人吧!"他自己都不知道为什么要这么说,因为连他内心里也不这样认为。

琴恩听了,睁大了眼看了他一小会儿:"不!"她有点过分感情激动地坚持说,"这不可能!那些人是野蛮人!"

克莱顿看起来带点迷惘的样子:"他只是一个陌生人,一个丛林里的半野蛮人,波德小姐。我们对他什么也不了解。他既不会说、也听不懂任何欧洲语言。而且,他的那些装饰物和武器和西海岸野人用的一样。"

克莱顿一口气说了下去:"在附近一百英里的范围内,除了野蛮人再不会有其他的人了。他一定是属于攻击我们的那个部落,要不就是属于另外同样的野人部落。他也许是一个会吃人的野人呢!"

琴恩听了,脸都变得苍白起来。她声音不大地说:"我可不相信,这是瞎说。"接着她又朝着克莱顿说,"你会明白,他准会回来的。他真实的行为会证明你是错的。你可没有我了解他。我告诉你他是一个出色的人。"

　　克莱顿本来是一个宽容又知趣的人，但是琴恩气急地为这个丛林人的辩护，却勾起了他无名的嫉妒，以至于这会儿，他竟忘记了那个狂野的半神一样的人对他们大伙的情义，带着一点儿嘲讽的口吻说道：

　　"可能你是对的，波德小姐。"他说道，"我认为我们中的任何人都无需为我们吃生肉的新相识担心。很有可能，他是半疯的被部落遗弃的人，说不定他忘记我们比我们忘记他还快。他不过是这个丛林中的一个野人罢了。"

　　她知道这只是他的一种想法。但是，她不由得也开始分析起自己新发现的爱慕之情，并且把它放在客观的位置上进行一种挑剔的考察。她转身慢慢地走向小屋，试着想象她的那位丛林之神，在一条定期远洋客轮的沙龙里，就坐在她的身边。他看到他用手在抓东西吃，撕起肉来活像一头猛兽一样，吃完了就把油手往自己的大腿上一抹！想到这儿她的心都有些凉了。当她把他介绍给她的朋友时，他显得是那样粗野、没文化、乡巴佬气十足，想到这儿我们的女士好像什么勇气也没有了。

　　琴恩现在回到了她的小屋里。当她坐到她的草铺边上时，手不由得抬起来，在她起伏不停的胸口上自然地摸到了泰山给她的那只小盒子的轮廓。她把它拿了出来，放在掌心里，有那么一会儿，她眼里充满泪花地望着它。然后，把它举到唇边，压在那里，自己伏倒在柔软的草铺上无声地抽泣起来。

　　"野兽？"她一面小声咕噜着说，"上帝给我送来了一头野兽？不管你是人还是野兽，我都是你的朋友。"

这一天她都没有再见克莱顿。晚饭也是爱丝米兰达给她拿来的。她让爱丝米兰达带话给她父亲说，危险经历之后的强烈反应使她生病了。

第二天一大早克莱顿就和营救搜索队一道出发去寻找得·阿诺中尉去了。这一次共有二百人，其中有十位军官，两位外科医生，并且带上了一周的给养。他们带上了帆布床和担架，后者自然是为病人和伤员准备的。

这既是一支充满决心和愤怒的队伍，也是一支负有解救使命的队伍，还是一支负责惩戒野蛮的搜索队。

因为这一次走的是一条熟路，所以不需要探寻，刚一过中午，他们就看到了上次搜索队进行遭遇战的地方。从这里，沿着象径，他们一直就走到了孟格的村子。下午两点多钟，队伍的先头部队就来到了村外开阔地的边沿。

中尉夏庞蒂埃这次是司令官。他立刻派出了他的一部分人到村子的背后去，另外又派出一拨人到村子的大门前，而他自己和其余的人则留在开阔地的南沿。按照安排，到村子背后北面的人将最后到达目的地，他们一到目的地，就开始攻击。他们的排枪声就是各个方面一致行动的信号。他们将要给村子带来一场暴风雨般的攻击。

夏庞蒂埃中尉和他的那一部分人，半个多小时一直伏在浓密的丛林树叶间等待着进攻的信号。对他们来说简直就像过了好几个小时似的。他们可以看到田里的土著，还有些人在大门口进进出出。

最后，信号终于响了，一阵清脆的步枪声。接着，来自西面和南面的排枪也一齐响应起来。在田里的土著立刻丢下了他们的工具，像发了疯一样向栅栏里跑去。说时迟那时快，法国人的子弹已经把他们扫倒了好几个，而且法国水兵跳过倒下的人直奔大门而去。

攻击来得这样出乎意料，当白人冲到大门口时，被吓坏了的土著都来不及阻挡他们。转眼间村里的街上就展开了混成一团的肉搏战。有那么一小会儿，土著还守在街道入口处，可是，法国人的左轮、来复枪以及他们的弯刀很快就把土人的长矛手打垮了，甚至土著的弓箭手在还没来得及放箭时也被放倒了。

很快战斗成了一场土著失去控制的大溃败。因为法国水兵看见和他们对抗的土著身上有的披着得·阿诺的制服碎片，于是就不问青红皂白开始了残忍的大屠杀。他们放过了儿童和那些没有抵抗力的妇女，但是到最后他们停下来，浑身血污和汗水地退出战斗时，孟格的村里几乎没有剩下什么土著战士了。

法国水兵仔细地搜查了每一座小屋，以及村子里的各处角落，但他们却找不到任何得·阿诺的踪迹。他们只好用手势询问俘虏。最后有一个曾在法属刚果服役的水兵，发现他们可以懂通行于非洲西海岸白人与较落后部落之间的一种混合的语言。但就是这样，他们还是无法确切了解得·阿诺的命运究竟如何。对他们的有关询问，土著只用激动的手势和恐惧的表情给予回答。最后，他们只好认为这是表明，这些土著在两天以前已经把他们的同志杀害了，并且吃掉了他。

水手终于丧失了一切寻找得·阿诺的希望，最后只好在村子里扎营过夜。他们把俘虏集中到三座小屋里，设置了严密的岗哨把守。闩住的大门也设了岗哨。后来,村子里的人大都沉入梦乡,除了那些为亲人死去而抽泣着的土著妇女。

第二天早晨搜索队起程返回。他们本来的意图是想把村子焚毁,但是,这个想法后来被放弃了。他们把俘虏留下来,任他们悲伤地哭泣,但是,现在至少他们还有房子可以挡风避雨,有栅栏可以抵挡丛林中的野兽。

搜索队沿着他们前一天的来路,缓缓前进,十副伤员的担架,延缓了他们的进程。其中八副是重伤员,另外的两副,只是担着随担架摆动的尸体罢了。克莱顿和夏庞蒂埃中尉担任着押队的任务。因为夏庞蒂埃和得·阿诺从小就是分不开的朋友,英国人尊重那个法国军官的悲伤,也一直闷声不响。

克莱顿虽然理解身旁这位法国人的悲伤,而且明白他之所以感到更沉痛,是因为得·阿诺的牺牲简直太不值得了。特别是琴恩在得·阿诺没有落入野人手中以前就获救了,而且,还因为他的这次任务并不是他分内的事,不过是为了陌生的外国人而已。但是,当他将此点向夏庞蒂埃中尉提出时,后者却摇头说:"不,先生,得·阿诺是为此而牺牲的。我感到悲哀的只是我不能为他而死,或者至少应该和他一块儿去死。他确是一个称职的军官和慷慨而勇敢的人。一个算得上付出很多却自奉甚微的人。"

克莱顿并没有回答,但在他内心深处却涌出了对法国人的一种新的敬意,自此一直铭记难忘。

他们到达海岸边小屋时,已经相当晚了。当他们走出丛林之前,他们鸣放了一枪,向扎营地和海船上通报他们的到来。这也是他们原来就约定好的,在他们到达距营地一两里之内,如果搜索队取得成功,就鸣枪三响,否则只放一枪。如果不仅找不到得·阿诺的踪迹,就连捉他的土著也找不到的话,就放两枪。所以听到了只有一声枪响,等待着他们的人神情都很谨慎肃穆。双方交换了几句话后,搜索队带回的伤员和牺牲者,就被轻轻地安放到了小艇上,然后小艇静静地向军舰划去。

克莱顿经过五天艰苦的丛林跋涉以及受到两次与黑人战斗的影响,已经是筋疲力尽了。他慢慢地向小屋走去,一面想着去找上一口饭吃,一面想在他比较舒适的草铺上休息一下,因为已经一连两天在丛林中露营了。

在小屋的门旁站着琴恩。

"可怜的中尉呢?"她问道,"你们没有发现他的踪迹吗?"

"我们去得太晚了,波德小姐。"他悲伤地说。

"能告诉我发生了什么事吗?"她问道。

"我不能。波德小姐。这事太可怕了。"

"你不是指他们对他施以酷刑吧?"她小声地说。

"我们不知道在杀死他之前,他们对他做了些什么。"他回答说。他的脸因疲倦和悲伤而拉得老长。他很同情得·阿诺的遭遇,所以也特别强调了"之前"两个字。

"您说'之前'是什么意思?他们杀死了他吗?他们不……他们不……吧?"她想起了克莱顿曾经说过的,那个丛林人可能和这个部落有关,所以她简直就无法说出那个可怕的肯定的"能"和"会"字。

"不,波德小姐。他们是吃人的部族。"他说,甚至带点轻蔑的口吻,因为这时他也想起了那个丛林人。那种两三天之前让他感觉奇怪的难以名状的嫉妒感,如今又一次在他心中出现了。接着一种突然的残忍,它既不像克莱顿应有的彬彬有礼的思考,也不像是一只人猿的作为,他竟脱口而出地说:

"当您的丛林之神离开您之后,他一定是急匆匆地赶去参加那场吃人的宴席去了。"尽管他的话一出口,就觉得有些不妥,可是他并不知道这对琴恩构成了多大的伤害。他也觉得有点后悔,对于这样一位对他们几乎没有过任何伤害,反而无数次搭救过他们的人下这样忘恩负义的定义,他自己也觉得太不公平了。

我们的女士昂起了她的头。

"我看这里只有一种答案回复你的断言,克莱顿先生。"她冷冰冰地说,"我后悔我不是个男人,否则我是会找出答案的。"说完她转身很快地回到小屋去了。

克莱顿是个英国人。所以,他还没来得及明白她所说的如果她是一个男人,她会找到什么样的答案时,她已经走得看不见了。

"哎呀!"他沮丧地对自己说,"她是说我在说谎啊!我想这顶帽子也真是太适合我了。克莱顿,你这个小子,我知道你是累得连自己也管不住了。但这也不是理由,可以让你像头蠢驴一样,你最好还是上床去吧。"

不过,在他就寝以前还是隔着帆布幔帐轻轻叫了声琴恩。因为他想作点解释,但是他却好像跟狮身人面像攀谈一样,既得不到回答也猜不透她葫芦里卖的什么药。然后,他只好在纸片上写了几句话,从帆布下面塞了过去。

琴恩看见了这张小纸条,本来不想理它,她觉得伤心和委

屈。不过她毕竟是个女人,后来还是把纸条捡了起来。那上面写着:

亲爱的波德小姐:
　　我没理由对我所做的事找什么借口。我唯一可说的就是我的神经有点管不住我自己了。但这也不是什么借口。
　　请您就当我没说过这样的话。请您千万原谅我。在这个世界上,您是我最不愿意得罪的。恳求您宽恕我。
　　　　　　　　　　　　　　　威廉·西塞尔·克莱顿

"他要是没有那样想,他就不会那样说。"我们的女士这样考虑着,"他说得不对,那不是真的。噢!我肯定他说得不对。"

不过,信中有一句话却让她很不安。这句话就是:"在这个世界上,您是我最不愿意得罪的。"一周以前,这句话会让她觉得很高兴,可是现在却让她觉得心情低沉。她甚至希望她从来也没有遇到过克莱顿。而对于遇到的那个丛林之神,她是否觉得遗憾?不!她更觉得高兴。是的,这里还有另一张纸条,是她在小屋前的草里找到的,是在她从丛林里回来后的那一天发现的,一封由人猿泰山署名的情书。这个突然出现的表达感情者是谁?如果他是另外一个在这可怕丛林里的居民,他为什么又不向她提出来?

"爱丝米兰达!醒醒,"她叫她,"你真让我生气,睡在那里死死的,全不管这个世界充满了悲伤。"

"我的老天!"爱丝米兰达叫了起来,坐起来说,"什么事?又是一头狮子吗？它在哪儿？琴恩小姐？"

"真是睡糊涂了。这里什么也没有。你还是去睡吧！你睡得迷迷糊糊的时候太多了，清醒的时候太少了。"

"我的宝贝，你到底出了什么事？你今晚有什么不顺心的事吗？"

"噢！爱丝米兰达，今晚我只是烦躁地抱怨罢了。"琴恩说，"你不要管我了，睡去吧！亲爱的。"

"好吧！我的宝贝。现在你也马上就睡吧！你的神经太紧张了。菲兰得先生讲的那些吃人的魔鬼是多么可怕。难怪我们要神经紧张了。"

琴恩走过来，笑着吻了这个忠诚的妇女，并向她道了晚安。

二十三
兄弟情

当得·阿诺恢复知觉醒来时,他发现自己正躺在一张柔软的草铺上。这张草铺的上面是一座 A 字形的小草棚。在他的脚下,是小屋的开口,可以看到前面绿草如茵的空地,而更远处却是由浓密的灌木和丛林构成的一道绿色的屏障。他现在行走既不方便,伤口又痛,身体也很虚弱。尤其是当他的知觉完全恢复以后,他浑身被拷打过的地方,现在也越发地疼痛起来。那些伤口、骨头和肌肉都有一种火辣辣的刺痛感,就是转一下头也会引起强烈的疼痛,所以他只好闭上眼静静地躺着。他尽量想拼凑出在他失去知觉以前的冒险经历,看自己是否能搞清现在究竟是在什么地方。他不知道自己到底是在朋友手中还是在敌人手中。最后,他想起了他在那根火刑柱上的可怕情景,也最终记起了那个奇怪的白人,而自己就是在他强有力的臂弯中昏过去的。

现在得·阿诺不知道有什么命运等待着他。在周围,他既看不到也听不到任何生命的迹象。丛林里不停的呜呜的风声、成千上万片树叶的哗哗声以及小虫的叽叽声、鸟声、猴子声似乎都融汇成一片安慰他的细语轻言,就像他躺在远处的某个地方,远离生命的世界,而这些声音不过是这个世界的一阵阵模糊的回音。

最后，他又沉入了香甜的梦乡，一直睡到太阳偏西。他又一次醒来，再一次感觉到他早上醒时经历的一切。只是他很快地想到他现在是躺在一座小草棚里，就不由得向脚下的门口看去。这时他却看到在那里有一个蹲着的男人的身影。那个人宽阔的肌肉、丰满的脊背正对着他。尽管它是褐色的亮晶晶的，但那是一个白种男人的脊背是绝对不会错的。啊！感谢上帝，得·阿诺终于放下心来。

法国人轻轻地叫了一声。那个男人听到了，他站起来向小屋里走来。他的脸长得很英俊，得·阿诺觉得他甚至从来没见过这样英俊的人物。他弯下身子，爬进小草棚，来到受伤的军官身旁，把一只凉凉的手放在他的前额上。得·阿诺对他用法语说话。但他只是摇头，这对于法国人未免觉得有点悲哀。然后，得·阿诺又试着用英语跟他说话，但他仍然只是摇头。用了意大利语、西班牙语、德语都得到同样令人沮丧的结果。就连得·阿诺仅仅知道一两句的挪威语、俄语、希腊语以及他只是一知半解说不清楚的非洲海岸黑人部落的土语都拿了出来，但这位男子一概不懂。

在查看了得·阿诺的伤口以后，他转身离开了小棚，不知到什么地方去了。过了一会儿，他从外面回来，带来一些果子，还有一个空的像葫芦状的植物，里面盛着清水。得·阿诺吃喝了一点。令他奇怪的是他并没有发烧。接下来他又试着和他的这位护理交谈，但令他大失所望的是他一切的努力都毫无结果。

突然，这个男子好像明白了什么，他又转身离开了小棚，过了不大一会儿工夫，他手里拿着几片树皮回来了。可是令法国人觉得奇而又奇的是他手里还拿着一截铅笔。我的老天！竟然是一截铅笔!

他就蹲在得·阿诺的身旁,在树皮光滑的里面写了一阵,然后,把它递给了法国人。得·阿诺一看竟然惊得目瞪口呆。因为在树皮上竟然清楚地用相当规整的印刷体字母写着一段英文信息:"我是人猿泰山。你是谁?你能明白这种字吗?"

得·阿诺兴奋得立刻抓起了铅笔。但就在这时他又放下了。他想这个奇怪的男子既然能写英文,那他显然是一个英国人了。

"是的,"得·阿诺高兴地说,"我懂英语。我也能说英语。现在就让我们用英语交谈吧!首先我得感谢你为我所做的一切。"

可是这个男子仍然摇着头,只是一个劲地指着树皮和铅笔。

"我的老天爷!"得·阿诺不由得惊叫起来,"如果你是一个英国人,怎么你现在还不会说英语?"

可怜的受过教育的文明人,他被语言学错误的基本原理欺骗了多少年,竟然不知道文字也是一种可以直接用来表达思想和交流信息的符号。所以,这时他忽然以为这个男人可能是个哑巴,或者是个聋哑人。所以,他只好也在树皮上写了几句英文。他写道:

"我是保罗·得·阿诺,法国的海军中尉。我感谢你为我所做的一切。你救了我的命,我所有的一切都是你给我的。你能告诉我为什么你能写英文却不能说英语吗?"

泰山的回答却令得·阿诺越发地如坠云里雾中。泰山的答复是:

"我只说我部族的语言,我的部族是大猿喀却克

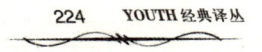

的。也会一点吞特——大象的话,努玛——狮子以及丛林里其他动物居民的话。可是和人我却从来没说过。除了有一次和琴恩·波德打过手势。这是我头一次和我的同类,用文字来交往。"

看了这段文字,得·阿诺大为惊奇。这简直难以令人相信,居然世界上有一个发育完全的人,他却从来没有和他的同类说过话,而且更为令人难以置信的是,他却既能写又能认一种文字!

他又看了泰山写的那段文字。千真万确——"除了有一次和琴恩·波德……",这就指的是那个被大猩猩掳走的那位美国的女士吧!得·阿诺突然好像明白起来,难道这就是那个"大猩猩"?于是他抓起了铅笔写道:

"琴恩在哪儿?"

泰山回答道:

"已经回到她的人那儿去了,在泰山的小屋里。"

法国人又写道:

"那么她并没有死?她究竟发生了些什么事?"

泰山又写道:

"她没有死。她是被大猿脱克俘虏的。他想占有她。但是人猿泰山在脱克伤害她以前就把脱克杀死了。丛林里的任何动物都不敢面对泰山进行战斗。我就是人猿泰山——万能的斗士。"

得·阿诺继续写道：

"我很高兴她现在安全了。我现在身上疼痛,写不下去了。我要休息一会儿。"

然后泰山写道：

"好的!休息吧!等你好了,我再送你回你自己人那里去。"

有好多天,得·阿诺就躺在他柔软的草铺上。不过,从他们谈话的第二天起,得·阿诺就开始发起烧来。得·阿诺明白他是受了感染。他甚至想到他是不是要死了,所以他叫来了泰山,示意他要写字。泰山于是给他拿来树皮和铅笔。

得·阿诺写道：

"你能到我的人那里去,把他们领到这里来吗?我可以给你写一封信,你交给他们,他们就会跟你来的。"

泰山摇了摇头,然后拿过树皮和铅笔写道:

"从你来的头一天,我就想过这事。但是我不敢这样做,因为这里是大猿们常来的地方。要是我离开很长时间去送信,他们发现只有你一个人在这儿,又动不了,他们会把你杀掉,当食物吃了。"

得·阿诺只好无可奈何地躺下去,闭上了他的眼睛。他不想死,可是他觉得他正走向死亡。因为,他发烧得似乎越来越严重。这天晚上他终于烧得昏了过去,一直有三天他就在神志昏迷之中。泰山一直蹲在他旁边,用冷水给他清洗伤口,给他擦头、洗手。到了第四天,法国人的烧来得突然,也去得突然。但是,这一场高烧使他虚弱不堪。这时泰山不得不离开他一会儿,去寻找食物,只好把一葫芦清水留在他身边。

其实,这一场高烧并不是像得·阿诺所想象的是某种传染疾病引起的。它只是非洲丛林里白人普遍会发生的一种水土不服。它要么会致人死命,要么就像在这个法国人身上那样突然消失。

两天以后,得·阿诺已经能在小棚外面的圆场上蹒跚走步了。泰山有力的臂膀时不时地要扶住他免得他跌倒。他们有时也坐在大树下,而泰山无意中也发现了几块光滑的树皮。于是他们就在上面对起话来。

得·阿诺首先写道:

"我怎样报答你对我所做的一切？"

于是泰山回答说：

"教给我说人的语言吧！"

得·阿诺立刻就同意了泰山的要求,开始了他的教学。他指着他们熟悉的东西反复地说着法语的名称。因为,他觉得他用自己的语言教这个丛林人更容易一些。当然,他对法语的了解比任何其他语言更完全。这对于泰山来说,当然是无所谓的。因为,他不可能再从另外的人那里学某种语言了。所以,当他指着画在树皮上人的样子时，他却学到了这个字的发音是 HOMME（法语"人"）。同样地他也学会了人猿是 SINGE,而树是 ARBRE(均为法语)。

泰山是一个很好学的学生,只用两天多一点,他已经学会说一些短句子,像"这是一棵树""这是草""我饿啦！"等等。不过,得·阿诺发现在泰山原有的英文基础上教他法语有一定的困难。

法国人为泰山书写简单的英文课文,却让泰山用法语重复它。结果这种读音和书写分离的语文经常引起泰山应用它们时的混乱,所以现在得·阿诺才明白他已经铸成了一个错误。但是,如果再让泰山从头学起,就得抛弃他几天来所学的一切,特别是他们现在已经达到几乎可以较顺利交谈的地步，如果重新学习英语就太费事费力了。

到了他们开始学习以后的第三天,泰山写了一小段话,询问得·阿诺是否觉得自己已经足够强壮,可以让泰山把他带回小屋那儿去。泰山和得·阿诺一样渴望到小屋那里去,因为他十分想再见到琴恩。仅仅为了这个理由,他觉得留在这里照看这个法国人已经是很不得已了。仅此一点已经足以表明他无私的性格了,照看得·阿诺恢复健康,甚至要比他到孟格村去搭救他需要付出更多的精力和时间。

得·阿诺当然很愿意去尝试这样一次旅行了,不过他写道:

"但是,我怕你不能一直带着我穿过这样一片茂密的丛林吧?"

泰山大笑起来:"Mais oui."("当然可以。")泰山用法语答道。得·阿诺听了也大声笑起来。他自己的口头禅居然从泰山嘴里顺畅地讲了出来。

他们就这样出发了。得·阿诺也像克莱顿和琴恩一样,对这位人猿先生神奇的体力和敏捷感到惊讶不已。

下午四五点钟,他们已经来到丛林边缘的开阔地。而当泰山从丛林的最后一根树枝上跳到地上时,由于马上就会见到波德小姐,他的心不由得猛烈地怦怦跳了起来。但是,在小屋的外面什么人也看不到。而且,得·阿诺也迷惑不解地注意到,海港里不但看不见巡洋舰,"飞箭"号也没有锚泊在海湾里。

当这两位男士大步向小屋的方向走去时,一种死样的沉寂突然包围了他们。虽然他们两个人谁也没有说话,但是他们已经明白在他们打开那扇关着的屋门以后,他们会遇到什么。

泰山终于拔开了门闩,推开了那扇沉重的木门,屋子里正像他们暗自恐惧所预感到的一样,里面已经没有人了。这两位男士,你看着我,我看着你。得·阿诺知道这一定是他的人以为他已经死了,所以才离开的。不过泰山想到的只是那位女士,她曾经吻过他,而正当泰山为救她的人忙得不可开交的时候,她却不知去向了。

一种巨大的痛苦正在他心中升起,他真想远远地走到丛林的深处去,回到他的大猿部落里。他再也不想看到他同类的人了,甚至不想再见到这间给过他许多美好回忆的小屋,就连曾经使他殷切盼望过要见到自己同类并成为一个男子汉的心愿,也一并留在这里。

那么这个法国人呢?得·阿诺呢?他怎么办?尽管他能和泰山和睦相处,可是泰山也不想再看到他。因为,他想抛弃一切能引起他回忆起琴恩的人和物。

当泰山正在门前踌躇不决的时候,得·阿诺却一脚迈进了小屋。他看到这里留下了许多有用的生活用具。他认出了许多是巡洋舰上的东西,一只野营用的炉子、一些炊具、一支来复枪和许多发子弹、不少罐头食品、毯子、两把椅子、一张帆布床以及一些美国书和期刊。

"他们一定还会回来。"得·阿诺看了这些东西以后,这样想着。他走到约翰·克莱顿多少年以前作为书桌的木案子那里,在那里发现了两封写给人猿泰山先生的信,一封是一个男人的笔迹,没有封口;而另一封则是一个女人秀丽的笔迹,却封了口。

"这里有两封给你的信,人猿泰山!"得·阿诺大声说。可是当他走到门口时，才发现他的同伴已经不在那里了。他走出门口，东张西望了一阵也看不见泰山的影子。他大声地喊叫，也没有回应。

"我的老天！"得·阿诺叫了起来，"他把我撂在这儿了。一定是的。他又回到他的丛林里去了，把我一个人丢在这里。"然后他想起来，泰山看到小屋里空了时脸上的样子，就像一个猎人从他无意中弄到的麋鹿眼睛里看到的那种哀怨无望的神情一样。看起来泰山是受了一次沉重的精神打击，得·阿诺现在才意识到这一点，可是究竟为什么？他还没法理解。

法国人现在看着他周围的一切，寂寞和对这块地方的恐惧，更加上刚刚过去的那一场痛苦和疾病的折磨使他疲弱不堪，都弄得他心烦意乱极了。

他独自一个人被丢在这座可怕的丛林里，永远听不到一个人的声音，也看不到一个人的影子。而且，他不断地处在对凶猛野兽和更可怕的野蛮人的恐惧之中，成为一个寂寞孤独和希望渺茫的牺牲品。

这时在西面的远处，人猿泰山正以前所未有的速度在丛林的中部树枝间向前荡去。他从来也没像现在这样莽里莽撞地向他自己的部落跑去。他只觉得他好像要甩掉以前的那个自己一样，像一只受惊的松鼠似的在树枝间乱窜。他要甩开他自己的思想，可是无论他怎样飞跑，他的思想还是紧追着他不放。

当他正在一头慢慢向他的相反方向——小屋的方向——走去的狮子上面荡过的时候，他不由得想起，得·阿诺能抵抗一头母狮吗？或者要是遇上一头大猩猩呢？或者一头公狮，一只残忍的猎豹呢？

泰山突然停下了他的飞行。

"你到底是怎么了，泰山？"他大声地问着自己，"你到底是一头大猿，还是一个男子汉？"

"你要是一头大猿那你就像一头大猿那样，丢下你的同类在丛林里，任他是死是活，而随着你的狂想爱到哪儿就到哪儿去！你要是个男子汉，那你就该回去保护你的同类。你不能因为他们中的某个人的离去使你难过而丢下他不管。"

得·阿诺关上了小屋的房门，他的神经变得很紧张起来。即使是一个勇敢的人，得·阿诺当然是一个勇敢的人，有时也会对沉寂产生恐惧的。

他把一支来复枪装上了子弹，把它放到了易于拿到的地方。然后走到桌子边，拿起了那封给泰山的没有封口的信。他认为信里也许会说到他的人暂时留在海岸的什么地方，而且他认为这并不违背道德。所以，他从信封里抽出了信纸，读了起来：

致人猿泰山先生：

我们为使用您的小屋，特向您表示感谢。遗憾的是我们一直没能见到您，并亲自向您致谢。

您小屋里的东西我们一点也没有损坏，相反却给您这孤寂的家中留下了可以使您生活得更舒适、更安全的一些用品。

如果您认识那位多次救过我们命、给我们送食物的奇怪的白人，并且能和他交谈的话，也请代我们向他表示感谢，感谢他的好意。

我们一小时之内就要起航了，不准备再回到这里来。但是，我们希望您和其他的丛林朋友知道，我们将永远感谢你们，感谢你们为来到这片海岸的我们，这一群陌生人所做的一切。如果有机会的话，我们一定会加倍地报答你们的恩惠。

谨致最大的敬意！

威廉·西塞尔·克莱顿

"再也不回来了。"得·阿诺嘟嘟哝哝地说。一面转身极端懊丧地扑倒在帆布床上。

一个小时以后，他忽然为一种声音所惊起。有什么人或东西在门边像是要进来的样子。得·阿诺一把抓过来那支子弹上了膛的来复枪，把枪托顶在肩上。

这时外面已经暮色苍茫，小屋里一片黑暗。但是，得·阿诺还能看到那门闪动了一下，他不由得感到头发都竖了起来似的。

门轻轻地被推开了一条窄缝，显出了有什么东西站在那里。得·阿诺顺着枪管瞄了过去，正对着门缝，然后抠响了扳机。

二十四
丢失财宝

当搜寻得·阿诺的分遣队无功而返之后,迪费仑舰长迫切希望尽可能快地开船。大家对此都是同意的,除了琴恩小姐。

"不",她坚决地说,"我不走,你们也不该走,因为有两个朋友还在丛林里,他们说不定哪一天从那里出来,期望着我们正在等待着他们呢!"

"我说的两个朋友有一位就是您的军官,迪费仑舰长,而另一位是那个救过我父亲和我们所有人的那位丛林人。"琴恩继续说道,"他两天以前在丛林边,急匆匆地离开我时,就是为了去救助我父亲和克莱顿先生的,而他现在滞留在什么地方?正如他所考虑的,是在救援得·阿诺中尉,对此您应该是知道的。"

琴恩继续推断说:"要是他去得太晚,赶不上帮助中尉的话,那他现在早就该回来了。但事实上他现在还没有回来,我看就足以说明他的延迟是因为得·阿诺受了伤,或者他追寻俘获中尉的人到比你们海军攻击的村子更远的什么地方去了。"

"可是,可怜的得·阿诺中尉的军服以及他所有的东西不是都在村子里发现了吗,波德小姐?"舰长提出质疑,"而且,当问到白人的命运时,村子里的土著不是表现出很大的激动和恐惧吗?"

"是的,舰长,但是他们并没有承认中尉已经死了。至于他的衣服和装备在他们手里,许多文明人不是比这些野蛮人更善于剥夺俘虏的东西并据为已有吗?"

"就是当年内战我们美国士兵不是一样不光剥活人的衣服,就连死人的也剥吗?这就是一个有力的明证。当然我承认,这并不是一个完全肯定存亡的证明。"

"那么,是不是有可能你的那位丛林人也被俘虏了或者被杀死了呢?"舰长迪费仑提出了另一种可能。

我们的女士听了不由得哈哈大笑起来。

"您可能不知道他。"带着一点骄傲的激动,她回答说。

"好!我承认您的这位高贵的先生是值得等待的。"舰长笑着说,"我完全可以肯定我会喜欢见到他。"

"那么,就等待他好了,我亲爱的舰长先生。"琴恩怂恿说,"我愿意您这样做。"这时这位舰长如果真的能理解琴恩这样说的内心本意,那他一定会大吃一惊的。

他们一边这样说着,一边向岸边的小屋走去。这时,他们已走到小屋旁的一棵大树下,在这里他们加入了坐在小凳上的波德教授、菲兰得先生、克莱顿、夏庞蒂埃中尉以及他的两位军官同事之中。此外,爱丝米兰达也正在旁边转来转去,时不时地发表点意见和批评,就像一个年老的、自由的、备受纵容与宠爱的仆人一样。

官员们站起来向他们的长官致敬,克莱顿则把他的小凳让出来给琴恩。

"我们刚才正在讨论着可怜的保罗——得·阿诺的命运呢！"迪费仑舰长说，"波德小姐坚持认为我们并没有绝对的证据证实他已经死亡了，不是吗？而且，她还认为你们那位大力士一样的丛林朋友之所以至今没有回来，表明得·阿诺仍然需要他的帮助。或者也许得·阿诺受了伤，或是被掳到一个更远的土著村子里去了。"

"有人说，"夏庞蒂埃中尉脱口而出，"那个丛林人就是攻击我们的那个部落里的人。他可能正是帮助他自己的人去了。"

琴恩迅速地瞪了克莱顿一眼。

"听起来这还颇有点道理哟！"波德教授跟着说。

"我不同意您的意见。"菲兰得先生反对说，"他有足够的机会去伤害我们，或领着他的人来对付我们，可是在我们长时间住在这里的期间，他却一直扮演着我们的保护者和支持者啊！"

"这是确实的。"克莱顿插嘴，"可是我们也不要忽略一个事实，即除了他以外，周围数百里以内，除了吃人的野蛮人再没有其他的人类。他的武器和他们用的一模一样，这表明他有着和他们共同的天性，否则他就要一个人对付上千的野蛮人。这也提醒我们，他和他们之间的关系，只能是友好而不会是别的。"

"看起来似乎有些道理，除此之外他不会和他们产生什么其他的联系了，"舰长说，"也许他可能是部落中的人。"

"不然的话，"另一个军官加上说，"他怎么能在野蛮的既是野兽也是人的丛林居民中生活那么长的时间呢？而且还能学会森林知识和使用非洲人的武器。"

"你们这是按照你们自己的标准去判断的，高贵的男士们。"

琴恩说,"一位像你们中任何一个的正常白人,请原谅我,先生们,我不光是指此,即使是一个体力和智力都超常的白人男子,我敢保证,永远不能在这个热带丛林里光着身子独自生活一年以上。而且他就像一个训练有素的运动员对付一个一岁的婴儿那样,他能勇猛无比地和那些野兽进行搏斗。"

"好啊!他肯定是赢得了一名忠诚拥护者,波德小姐。"舰长迪费仑笑着说,"不过,我可以肯定这里的人,没有谁愿意面对最可怕的死亡一百次,去赢得一位哪怕是有您一半漂亮和忠诚的小姐的赞赏。"

"您用不着奇怪我为什么要护着他,"波德小姐说,"要是您能像我一样,看见他为了我而和一头毛茸茸的大野兽血战就好了。要是您能看见他像一头公牛攻击一只大灰熊一样,绝没有一点儿怯懦迟疑,您就会相信他比普通人多了点什么。要是您能看到他身上那褐色皮肤下有力的肌肉块,看到他是如何打退那些凶狠可怕的獠牙的,您就会认为他是无敌的了。而且,您要是看到他是怎样为了一个异族的陌生女子无比奋勇,您就会像我这样绝对地相信他。"琴恩一连不停地争辩着。

"这一回您胜诉了,我们美丽的辩护人。"舰长大声说,"法庭认为被告无罪。我的巡洋舰将再等几天,直到我们被辩护的大力士能有机会来感谢圣洁的辩护人!"

"老天爷!宝贝。"爱丝米兰达大声叫起来,"你们的意思不是说,你们要再待在这充满吃人野兽的地方吧?我们现在好不容易才有个机会能逃到船上去呀!我可不要听你的这种可怕的话,我的宝贝。"

"唉呀！爱丝米兰达！你该为你自己害羞才是。"琴恩生气地大声说，"这就是你对救过你两次性命的人的报答吗？"

"啊！波德小姐，一切都像您说的，"克莱顿插进来说，"但是，那个丛林人搭救我们，未必是为了我们留在这儿，而是要让我们可以离开这里。我料想他要是看到他努力给了我们逃跑的机会以后，我们除了留在这里并没有别的打算时，他会很生气的。而且，我希望我再也不会睡在这个地质学的花园里，去听那天一黑就从丛林里发出来的令人心惊的吵闹声。"克莱顿说，"我一点都不是在责备你，爱丝米兰达，而且，你曾把这里夜晚的可怕声音叫作'令人心惊的吵闹'，真是说到点子上了。我再也不能找到一个更合适的词来形容它们了。"

"您和爱丝米兰达最好是到舰上去住吧！"琴恩多少带点轻蔑的口吻说道，"要是您也不得不一辈子生活在丛林里，就像那位丛林人一样，您怎么想？"

"我想我会变成一个十足的像野人一样的粗鲁汉子的。"克莱顿苦笑着说，"每天晚上这里的那些喧闹声，让我头发都要竖起来了，尽管我羞于承认它，但这毕竟是事实。"

"我没想这么多，"夏庞蒂埃中尉说，"我以前很少想到恐惧这类事，也不想试图确定我究竟是个勇敢的人还是个胆小鬼。可是，在可怜的得·阿诺被抓走以后的那天晚上，当我们躺在树林里，那里的种种喧闹声此起彼伏地在我们周围响起时，我开始觉得我到底是个胆小鬼了。其实，并不是那些大野兽的咆哮和吼叫让我觉得可怕，而是一种悄悄的声响，你会忽然觉得它就在你身旁，待你仔细听时，它却又没有了。那是一种说不清的声音，像是一个巨大的身体向你移动时发出来的，糟糕的是你又不知它在你附近什么地方，它是否在你不注意时已经来到你的身边？就是这些声音和那在黑暗中若有似无的蓝闪闪的眼睛，让人毛骨悚然。我的老天！我总是在黑暗中会看到它们似的。那双你看到的，以及那些你看不到却感觉得到的眼睛，正是最让你觉得惴惴不安的。"

大家这时都陷入恐惧的沉默之中。琴恩突然说道："他可还在外面哪！"她用一种恐惧的低声说道，"你们说的那种眼睛，晚上就瞪着他和你们的战友得·阿诺中尉。你们能把他们丢下不管吗？我高贵的先生们！难道只是消极地多留在这儿几天这么一种救助都不能给他们吗？"

"糊、糊、糊涂，我的孩子，"波德教授说，"迪费仑舰长不是答应留几天吗？至于我，我可是完完全全地愿意……就像我一贯地那样，一定会满足你的随便什么孩子气的想法的。"

"那么，我们还可以利用明天的时间去找回那个箱子，教授先生。"菲兰得先生建议说。

"的确，的确，菲兰得先生，我都几乎忘记珠宝的事了。"教授波德高兴得叫起来说，"不知能不能从迪费仑舰长那里借几个人帮我们的忙，还要一个"飞箭"号上的俘虏去指认一下埋箱子的地方。"

"完全可以肯定，波德教授，我们都愿听从您的吩咐。"舰长回答说。

就这样，决定明天由夏庞蒂埃中尉带上一个十人的小分队，和一个作为向导的"飞箭"号上的叛变者，去发掘那一箱财宝。巡洋舰则在小海港里足足等上一个星期。等到那时,再不见他们到来,那就只好认定得·阿诺确实已经死了,而丛林人也不会来了。然后,两条船和所有的人都一起离开。

第二天,波德教授没有和寻宝的人一道去。但是,到了中午当他看见他们空着手回来时,他迎着他们急忙跑了过去。他往常那种专心致志思考问题、对周围漠不关心的态度一下子消失殆尽,而换成了一种神经激动的样子。

"财宝哪里去了?"离克莱顿还有一百多码教授就向他喊了起来。

克莱顿只是向他摇头。

"丢掉了。"克莱顿走近教授时说。

"丢掉了?怎么可能,谁把它弄走?"波德教授大声说。

"上帝才知道,教授。"克莱顿回答说。

"我们曾经猜想,那个当向导的人故意欺骗我们。可是当他看到斯耐普尸体下面并没有那只装财宝的木箱时,他那惊讶和愕然的样子太真实了,不像是装出来的。何况接着我们的铁锹就发现这里确实曾经埋过什么东西。因为在尸体下面确曾有过一个大洞,现在那里填进的土还是松的。"

"可是究竟是谁能把它拿走了呢?"波德教授重复说。

"怀疑很自然地就落到了巡洋舰的人身上,"中尉夏庞蒂埃说道,"可是简维尔少尉可以保证,自从我们在这里锚泊以后,船上并没有人得到准许离船上岸的假期,除非有司令官的委派。我认为您不会怀疑我们的人,但是我可以很肯定地报告您,值得怀疑的机会是没有的。"

"请放心,我从来也没有怀疑过你们,相反我对你们感激不尽。"波德教授通情达理地回答说,"我倒宁愿怀疑亲爱的克莱顿先生或是菲兰得先生呢!"

法国的军官和士兵听了都笑起来。

"看起来财宝丢失,已经有一些天了,"克莱顿继续说,"事实上,当我们抬起那具尸体时,它都烂得散了架。这说明财宝丢失时,尸体还没有腐烂。因为在我们挖出这具尸体以前,这里的土层并没有被触动过的痕迹。"

"干这件事必定得好几个人才行,"琴恩插进来说,"你不记得当初是四个人才把箱子抬了过去的吗?"

"啊,对了!"克莱顿叫起来说,"就是这样,这一定得一伙黑人去干才行,也许正是他们中的一个人,看见"飞箭"号上的人埋下了箱子,于是立刻叫了他的一伙朋友来把它弄走了。"

"乱猜已经没用了。"波德教授难过地说,"我们再也看不到它了,箱子里的财宝也没有了。"

只有琴恩了解财宝丢失对她父亲意味着什么,而且,更没有人知道这对她又意味着什么。

六天以后,迪费仑舰长正式宣布说明天一早两条船就要起航了。

要不是琴恩也开始相信她的那位丛林男士恐怕真的不会再回来了,她还可能再提出缓期执行的要求。对她的感情和意见毫无兴趣的法国军官头头是道的争辩,使她也开始有点不自信了,也有点相信他们的说法。不过说他是个吃人的野人这是她不相信的。但是,他是某些野蛮部落收养的人,她终于觉得很有可能了。她绝不愿意承认他已经死了。因为要她相信这样一个完美健壮的身体，如此充满了胜利生机之火的生命竟会戛然而止，还不如叫她相信永恒将归于尘土呢。

当琴恩在胡乱猜想时，一种她很不喜欢的想法也不期而至。如果这个丛林人当真是属于某个野蛮部落，那他就会有一个妻子，甚至还可能不止一个，说不定会有一打呢！还会有一些具有某种特权的孩子。她一想到这些，不由得羞涩畏怯起来。所以，当她听说巡洋舰明天就要起航时，她几乎有点高兴。

是琴恩建议在她们走后给小屋留下武器、弹药和生活用品的，表面上说这是留给神秘的人猿泰山先生和生死未卜的得·阿诺的，其实骨子里，她却是为了她的那个丛林神人着想，即使将来终于证明他不是一个真正的英雄也罢。离去的前一刻，她给他留下了一封短笺，请人猿泰山先生转交给他。

琴恩找了一些无足轻重的托词，在别人都开始登上小艇时，才最后一个离开了小屋。此前，她跪在那张她在上面度过许多夜晚的草铺前，为她的那位丛林的原始人献上一份祝愿平安的祈祷，而且把那只小小的项链盒举在唇上轻轻地低语说："我爱您，而且正是因为我爱您我才信任您。要是您能回到我身边来，如果再没别的路好走，我宁愿随您到丛林里去，永远过那种恬静的生活。"

二十五
初到人间

随着轰响的枪声，得·阿诺看到门猛地被撞了开来，一个人影头朝前扑倒在小屋的地板上。这个法国人在惊恐中几乎要举起枪对着那跌倒的黑影再开一枪，可是他在从门外射入的薄暮光亮映照下，忽然看出这是个白人，而且，接着他就意识到他射伤的正是他的朋友和保护人——人猿泰山。得·阿诺不由得痛苦地叫了一声，跳到人猿的身边，跪下用双臂抱起了他的头，大声呼唤着泰山的名字。

好久也没有回答，得·阿诺把他的耳朵贴到泰山的胸口上，让他大喜过望的是他居然听到了有力的心跳声。他小心地把泰山抱起来放到帆布床上去，关上门插好了门闩，点亮了灯仔细察看了泰山的伤口。子弹只是擦过了泰山的前额，在皮肉上有一道深的伤痕，却没有打碎骨头的痕迹。得·阿诺松了一口气，用湿巾擦干了泰山脸上的血迹。

冷水一浸，泰山竟很快地醒来，他一下子睁开了眼睛，惊奇地用询问的目光看着得·阿诺。此时得·阿诺已经用布给泰山包扎好了伤口。当他看到泰山已经醒来时，阿诺就走到桌子那里写了一个条子递给了他，解释他造成的这次可怕的错误，但是谢天谢地他伤得不重。泰山读了纸条,反而在他躺着的地方坐了起来,笑着用法语说道:"这太不算一回事了。"接着他的法语词汇就不够用了,他只好写道:"你要是看到大猿喀却克和脱克,在我杀死它们时给我身上留下的伤痕,那你就会对这么一点小抓伤笑起来的。"

接着阿诺把克莱顿他们留给他的两封信交给了泰山。泰山读着第一封信时,脸上不由得流露出一种伤感的表情。但是,第二封信他却翻来覆去找不到开口。因为在此以前他从来也没见过一封封了口的信封。最后他只好把它交给了得·阿诺。

法国人早把这些都看在眼里,他知道泰山给这种信封弄糊涂了。对于一个发育完全的白人,一个信封居然这样神秘莫测,真是不可思议。得·阿诺只好撕开信封,把信纸递给了他。泰山就坐在一张支开的帆布凳子上,展开了信纸读起来:

致人猿泰山:

在我离开之前,让我在克莱顿先生的那些感谢的情意上,再加上我对您的感谢,以答谢您让我们随意使用您的小屋所表现出的仁慈。只是您从来没有露面,以致我们无法和您建立友情,使我们深表遗憾。我们是非常愿意见到您——我们的主人,并向您当面道谢的。

还有另外一位先生,我也要向他表示谢意。可惜他一直没有回来,尽管我绝不相信他会死亡。我并不知道他的名字。他是一位高大魁梧的白人,他胸前戴着一个镶了宝石的小盒子。如果您认得他,也会说他的语言,请千万转告我的感谢,并告诉他我等他回来一直等了七天。还要请您告诉他,在美国巴尔的摩城我的家里,只要他愿意,我将永远欢迎他来做客。

　　我发现您写给我的一张纸条,它放在小屋外面的一棵树下。我们没有说过一句话,我不知道您怎么会喜欢我。如果这是真的,那么我很遗憾地对您说,我已经把我的心给了另外一个人。但是,请记住我永远是您的朋友。

琴恩·波德

　　泰山看完了信,坐在那里,两眼盯着地板愣了好几个小时。从信里看来,显然他们都不知道他和人猿泰山就是同一个人。"我的心已经给了另外一个人。"他在心里反反复复地念着这句话。

　　那么她并没有爱过他!她怎么能装出爱的样子,把他抬到那样一个希望的巅峰,结果却又把他扔进这样一个失望的深渊!也许她的吻只是一种友情的表示,可他怎么知道呢?他对人类社会的习惯毕竟还知道得太少!

　　于是他站起来,就像他曾经学过的那样,向得·阿诺道了晚安,一头扎到琴恩睡过的草铺上睡去了。得·阿诺也熄了灯,躺到帆布床上去了。

　　以后,有一个多礼拜,他们很少干什么事,只是休息。得·阿诺一直在教泰山学法语。到了最后,这两个人就能相当顺利地对话了。

有一天晚上，他们在睡觉以前坐在小屋里，泰山突然问道："美国在哪里？"

得·阿诺指着西北回答说："那要穿过大洋好几千英里远呢！你为什么问起它？"

"我要到那里去。"

得·阿诺摇着头说："我的朋友，这是不可能的。"

泰山听了，站起来从柜橱里拿出了一本便于查阅的地理书来，翻到有世界地图的一页对得·阿诺说："我一直不懂这个，请给我解释一下。"

当得·阿诺告诉他，蓝色代表所有的海洋，其他一块块的颜色代表大陆和海岛以后，泰山又要求指给他看他们现在所在的地方。阿诺都——告诉了他。

"那么现在请指给我美国。"

当阿诺把他的手指放到北美的位置上时，泰山满意地微笑起来，把他的大手掌放到书页上，量着两块大陆之间的海洋说："你看这并没有多远吧！还不到我的一手臂宽。"

得·阿诺不由得大笑起来。然后，他拿了一支铅笔，在非洲的海岸边点了一个小点说："地图上的这个小小的点，要比你在地面上的小屋不知要大多少倍。那么你现在可以知道，地图上的远近了吗？"

泰山想了好一会儿，终于说道："那么在非洲还有别的白人居住着吗？"

"是的。"

"那么最近的地方在哪儿？"

得·阿诺指出地图上离他们小屋稍北一点的海岸。

"这么近吗?"泰山吃惊地问道。

"是不太远,但是也不太近。"得·阿诺回答说。

"他们有能穿过大洋的大船吗?"

"是的。"

"那么我们明天就到那里去。"泰山高兴地宣布说。

得·阿诺又一次笑起来,摇着头说:"它们对我们还是太远,不用我们到达他们那里,只怕我们就会死在半路上的。"

"那么你是想永远留在这里了?"泰山问道。

"当然不。"阿诺答道。

"好,那我们明天就动身。我再不想待在这儿,我倒宁愿死在路上。"

"那好吧!"得·阿诺耸了耸肩回答说,"我不知道究竟会怎么样,我的朋友,不过我也是宁肯死也不愿留在这里,要是你走,我更要和你一块了。"

"事情就这样定了。"泰山说,"我明天就去美国。"

"你没有钱怎么能去美国?"阿诺问道。

"什么是钱?"泰山询问道。

阿诺花了好长时间才让他明白了一点,尽管还是没法说得清楚。

"那么人们怎样得到钱呢?"最后泰山还是问道。

"他们靠工作赚钱。"

"那太好了,我们现在就工作赚钱吧!"

"不,朋友。"得·阿诺无可奈何地回答说,"你不用为钱担心,也用不着你现在就为赚钱而工作。我有足够的钱,够我们两个,即使二十个人的花费也够了。对于一个人来说是相当多了,就是我们到了文明社会也够你用的。"

于是第二天他们就出发了,沿着海岸向北走去。他们每个人带了一支来复枪和弹药以及卧具、食物和炊具。但是最后几样在泰山看来简直是累赘,所以他把他的那一份都扔掉了,只带了枪和弹药。

"你得学会吃煮熟的食物啦!我的朋友。"阿诺说,"没有文明人是生吞活剥着吃的。"

"咱们到达文明社会还有足够的时间呢!"泰山说,"我可不喜欢吃破坏了鲜味的食物。"

他们就这样向北走了差不多一个月。有时候路上可吃的东西很多,有时候又不得不挨一两天饿。他们没有遇到任何土著的踪迹,也没有碰上凶猛的野兽,他们的旅行出奇地顺利。

泰山不时地提出一些问题,所以学得很快。阿诺告诉他许多文明社会的讲究——甚至如何使用吃饭的刀叉。但是有时候,他还是带着轻蔑丢开它们,用他强有力的大手和他锐利的牙齿,像野兽一样地撕着鲜肉吃了起来。这时得·阿诺只好告诫他说:

"在我尽力使你成为一位体面的人时,你绝不能像野兽一样吃东西,我的老天!体面的人不是这样的,这太可怕了。"

泰山这时就只有尴尬地一笑,又捡起了他的刀子和叉子,不过他还是打心眼里不喜欢使用它们。

在旅途中,泰山告诉了得·阿诺有关那只被水手们埋藏起来的大箱子,以及他怎样挖出来,带到大猿们聚会的地方,重新埋下去的事。

"这一定是波德教授的那一箱财宝。"得·阿诺说,"这可太糟糕了,当然你并不知道这件事的详情。"

于是泰山想起了琴恩给她朋友写的那封信——就是她们刚到泰山的小屋时被他偷走的那封信。而且现在他也知道那箱子里是什么东西和它们对琴恩的意义。

"明天我们就回去把它找回来。"泰山忽然宣布说。

"回去?"得·阿诺不由得叫起来,"可是我亲爱的先生,我们现在已经走了三个多礼拜啦!那么至少还要三个礼拜或更多的时间才能回到藏宝的地方。而且要把据你说曾由四个水手抬着的沉重的大箱子弄到这里来,恐怕还得几个月才行。"

"这件事一定得干。我的朋友,"泰山坚持说,"你就回文明社会去,我回去找财宝,我一个人走还更快些。"

"我有一个更好的计划了,泰山,"得·阿诺大声说,"我们还是一块儿到最近的一处港口去,在那里我们可以租一条船,然后从海上一直回到小屋的海岸去找宝藏,这样运回来也容易。而且也更安全快速,当然也不用我们俩分开了。你认为这个计划怎样?"

"好得很,"泰山说,"财宝反正在那里,我们什么时候都能找到它,尽管我现在就可以去,而且过不了几个月我就可以赶上你,可是我认为我们两个人待在一起,而不是把你一个人丢在路上,我会觉得更放心些。我看见过你孤苦无助的样子,得·阿诺,据你说人类种族至今已生存了好长的年代,我常常奇怪这个种族怎么没被毁灭,为什么单独一头狮子就能消灭许多人?"

得·阿诺不由得大笑起来说:"当你看见人类的陆军和海军、他们伟大的城市和他们巨大无比的机器工程时,你就会对你的种族有更高的评价。然后你就会明白,是头脑而不是肌肉,使人类比丛林里最有力的动物更强大。当然,如果是一个没有带武器的人对付一只凶猛的野兽,人是远远敌不过任何强大的身躯的;可是如果十个人在一起,他们就能把智慧和体力联合起来,对付野蛮的敌人。而野兽是不会思考的,从来也不会想到联合起来对付人。另外,人猿泰山,你能否告诉我你在这野蛮的丛林里已经待了多久吗?"

"你是对的,"泰山回答说,"要是喀却克那天在聚会的圆场里去帮托勃赖一把的话,那我就完了。但是喀却克却绝没有想到从这样的机会里得到好处。甚至卡拉——我的妈妈——也从不会预先做什么打算。它就是到了想吃的时候就去弄吃的,而即使是食物不足的时候,就算是它遇到了能吃几顿饱餐的机会,它也不知道为以后预先作点准备。我记得它经常认为我在移居的路上还带着一些额外的食品是自找麻烦。尽管在遇到食物缺乏时,它也高兴地和我分享这些东西。"

"那么,你是知道谁是你妈妈啦?"得·阿诺惊讶地问道。

"是的。它是一头巨大、漂亮的大猿,比我大,体重有我两个重。"

"你父亲呢?"阿诺问道。

"我没见过他。卡拉告诉我他是一头白猿,身上就像我一样没有毛发。我现在想来他一定是一个白人。"

得·阿诺长时间地端详着他的同伴,最后说道:"泰山,大猿卡拉不可能是你的母亲。如果有这样的事——我怀疑——你必定会有大猿的某些遗传特征,但是你没有,你纯粹是个人。而且我可以肯定地说,你是一对来自高门第血统而且有知识的双亲的后代。你对你的过去就没有一点线索吗?"

"一点都没有。"泰山回答说。

"小屋里就没有一点什么文字可以告诉我们,它原来的居住者吗?"

"除了一本书以外,我几乎读过了小屋里的一切东西。这本书我现在想它大半不是用英文写的。也许你能读它。"

说着,泰山从箭袋的底部掏出了一个黑色的小日记本,递给了他的伙伴。

得·阿诺看了一眼那本书的扉页说:

"这是约翰·克莱顿·格雷斯托克爵士,一位有高贵身份的英国人,用法文写的日记。"

然后,他继续读着这本二十多年以前写的日记。它所记故事的细节,是我们已经知道的——约翰·克莱顿和他的妻子爱丽丝的冒险、艰苦、悲伤感人的故事。这故事是从他们离开英国直到他被喀却克杀害为止。

得·阿诺大声地读着,时不时地不得不停下来,因为字里行间所流露出的那种使人悲悯的绝望令人无法卒读。有时候他也偷眼看一下泰山,但这位人猿却蹲在那里,像一座雕塑似的,两眼盯着地面。只有当述及那个婴儿出生时,日记的语气才从到达海滩两个来月开始逐步加深的失望沮丧词句中转变过来。文笔不断流露出一种压抑的欢乐,比其他部分让人读来更为伤感。

人猿泰山·泰山出世   251

有一段记载展示出了这一个充满希望的生命:

今天我们的小男孩已经六个月了。他坐在爱丽丝的膝上,就在我写字的书桌旁边——一个快乐、健康而且极逗人爱的孩子。

不知为什么,甚至毫无道理可言地我把他看成了一个大人,一个在这个世上代替他父亲地位的大人了。第二个约翰·克莱顿——他将给格雷斯托克家族带来更多的荣誉。

就在这儿——好像要对我的预言以他的签章加以保证似的,他用他胖胖的小手抓走了我的笔,用他染满了墨水的小手指在书页上按下了他的手印。

就在书页的边上果然有四个小小的手印和一个大半个的拇指印。

当得·阿诺读完了这本日记,两个人都沉默了好一会儿。

"喂!人猿泰山,你怎么想?"阿诺终于问道,"这本小书不是可以弄清楚你的身世之谜吗?"

泰山摇着头回答说:"它只是说到了一个小孩。他的骷髅就摆在摇篮里,他是在那里哭喊着得不到抚育死去的。从我进入小屋直到波德教授那一群人把他埋葬在小屋外面,他一直都在他父母的身边。不,那才是书中说到的那个婴儿。而我的出身之谜要比他深沉得多,因为我后来曾对这个小屋是否是我的出生地考虑过许多。我恐怕卡拉说的倒是真的。"他最后不无忧伤地下了结论。

得·阿诺摇了摇头,他对此根本不信。现在他的头脑中已经产生了一个决心弄清泰山来历的念头,因为他已经发现那唯一可以破解这个谜的钥匙,否则就只有把它留给永远无法解开谜底的深渊了。

一周之后,他们两人突然来到丛林里的一片开阔地。远处有由坚固的栅栏围起来的几幢建筑物,在他们和围栏之间是伸展着的耕地,有几个黑人在田里工作。

他们两人看到这情景就停在丛林的边缘。泰山立刻在他的弓上搭上了一支毒箭,但是得·阿诺却拉住了他的胳臂。

"你想干什么,泰山?"他问道。

"他们要是看到我们,会杀死我们的。"泰山回答说,"我宁愿当一个杀人者。"

"他们也许会对我们友好呢?"得·阿诺提醒说。

"他们是黑人。"泰山回答得很干脆。然后,他就拉开了他的弓。

"你不能,泰山!"得·阿诺几乎叫起来说,"人是不能滥杀无辜的。我的老天!你真是还有许多事要学呢!太遗憾啦!丛林里的东西没教给你什么好事,我的野人先生。我要是把你带到巴黎去,我得拼命保护你的脖子免得它伸到绞刑架下去。"

泰山只好收起他的弓箭,笑了笑说:"我不知道为什么在我的丛林里——原来的那儿——我就得杀死那些黑人,而在这里就不能杀死他们。假如狮子努玛向我们扑来,我就得说:早安,努玛先生,努玛太太怎么样啦?是吗?"

"不,要等到黑人向你扑来,"得·阿诺回答,"直到那些人证明自己是你的敌人,然后你才能杀死他们,但是不要先随便假定他们是。"

"那么,走吧!"泰山说,"把我们自己亮出去,好挨刀吧!"说着他就径直穿过田地,他的头抬得高高的,光亮棕色的皮肤沐浴在热带的阳光中。他的后面跟着得·阿诺,身穿着克莱顿丢在小屋里的一件外衣,正好使这位法国巡洋舰上的军官显得仪表堂堂。

就在这会儿,一个黑人抬头看见了泰山,转身尖叫着向栅栏的方向跑去。

有好一阵空气中充满了溃逃守卫们恐怖的喊叫。但是在他们还没有到达栅栏前时,一个白人从里面走出来想看看骚乱的原因,手里还提着一支来复枪。当他一看到泰山那样子,就把来复枪端在了肩上。要不是得·阿诺向那个举起枪的人大声叫喊,没准我们的人猿泰山会又一次尝到铅弹的滋味。

"不要开枪,我们是朋友!"

"站住!"对方答道。

"停下,泰山!"阿诺喊道,"他以为我们是敌人呢!"

泰山放慢了脚步,和得·阿诺一道向大门旁边的那位白人走去。后者以迷惑的目光迎接着这极不般配的一对。

"你们是什么人?"那个白人用法语问道。

"白人,"得·阿诺回答道,"我们迷失在丛林里有很长时间了。"

那个白人男子放下了枪,伸出手向他们走来。

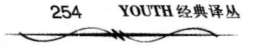

"我是这里法国教区的康斯坦丁神父，"他说道，"我欢迎你们的到来。"

"这是泰山先生，康斯坦丁神父，"阿诺指着人猿泰山说，而当神父向泰山伸出手时，阿诺又补充说，"我是法国海军的保罗·得·阿诺。"

这时，神父已拉住了泰山的手，而后者也学着神父的样子拉住他的手。神父向泰山打量了一眼，对他魁梧的体格和英俊的相貌留下了深刻的印象。就这样我们的泰山先生完成了他对人类社会的第一次接触。

他们留在这里待了一个星期，泰山经过敏锐的观察，学到了许多人们的生活方式。这期间黑人妇女也按照神父的吩咐给他们缝制了白帆布外装，使他们可以穿着合身的衣服继续他们的旅行。

二十六
深入"文明"

一个月后,他们来到了一条大河的入海口,那儿有不少的建筑物。在这里泰山看到了许多船,许多人的注视使泰山又多次感到野性世界所没有的羞怯。但是逐渐地,他开始习惯了文明社会特有的喧闹和生活方式,以至于现在没有人知道,在短短的两个月之前,这位穿着洁白帆布装侃侃而谈的漂亮法国人,曾经光着半个身子在原始丛林中游荡,出其不意地捕捉猎物,并生吃它们充饥。

一个月前被泰山轻蔑地丢到一边的刀子和叉子,他现在使用得也像得·阿诺一样灵活自如。他是非常聪明的一个学生,所以得·阿诺也挖空心思地使他成为一个优雅的体面人,不光使他举止大方,也使他语言得体。

"上帝把你从内心造就成一个有教养的人,我的朋友。"得·阿诺这样说道,"但是,我们要让上帝的善行显得更为完美无缺。"

当他们到达海边的小港时,得·阿诺给他的政府拍发了电报,报告他的安全生还,并要求三个月的假期。此事当然得到了批准。他还给他的关系银行拍了电报,要求他们给他汇一些款项来，这使他们不得不在此地等候一个月。由于在此期间他们无法雇船回到泰山的那片丛林里找回那笔财宝，他们两人都有些急躁不安。

就在他们停留在海边小城期间，由于几件在泰山看来不算什么的偶发事件，竟使"泰山先生"在当地的黑人和白人中成为一位惊世奇人。

事情的经过是这样的：

一次，一个大块头的黑人，喝醉了大耍酒疯，扰乱了整个小城，直到他碰上了泰山。那天泰山正懒洋洋地倚在饭店的前廊栏杆旁，这个黑人挥舞着一把刀，迈上了前廊的台阶，直冲四个坐在桌边喝着苦艾酒的人而去。这四个人一看这情景，惊呼着四散奔逃。然后，这个大个子黑人又看见了泰山，于是他大吼一声竟朝我们的人猿先生奔去。这时，有五六十人在窗口和门廊前，他们以为这个可怜的"法国人"定要挨那黑人的刀了。

泰山这时嘴角上却露出了他投入搏斗时经常带有的那种欣赏的微笑。当黑人走近他时，突然他那只钢铁一样肌肉隆起的手，一下子抓住了黑人那只举着刀的手腕猛地一扭，只听得咔嚓一声，那只手就被折断了骨头。这个黑人又疼又怕，酒也醒了，当泰山坐回到椅子上时，这个黑人却又哭又叫逃回他的村子里去了。

另外一次是泰山和得·阿诺跟几个白人一道吃饭，谈话间涉及了狮子和对狮子的狩猎。在谈到兽中之王狮子的勇气时，他们之间的意见出现了分歧，有的人认为狮子总归是怕人的。但是大家还是同意当这个兽王在营地周围夜里不断地吼叫时，手里有一支快枪会有较大的安全感。阿诺和泰山曾经有过协议,对泰山的过去保密,所以其他的法国官员没有人知道人猿泰山熟知丛林里的野兽们。

"泰山先生还没有发表意见呢!"他们中的一个人突然说道,"一位在非洲逗留过的有杰出才能的男子汉,就像我理解的泰山先生,一定有过对付狮子的经验,不是吗?"

"有过一点,"泰山淡然地回答道,"不过,我敢说就你们各自所遇见的情况来说,你们各自对狮子的判断都是正确的。但是,也可能有的人只根据上周那个发酒疯的黑人,就判断所有的黑人都是如此,或者只是根据他所遇见的一个胆小的白人,就确信所有的白人都胆小,那就错了。在低级动物中,先生们,一样有着各不相同的情况,正像在我们中间的情况一样。今天我们出外也许会遇见一头特别胆小的狮子,见到我们就跑掉了。明天呢?也许我们就会遇上这个狮子的表兄弟或双生兄弟什么的,结果我们的朋友就会奇怪,怎么我们再也没从丛林里回来了呢?至于我本人,我总是假定狮子是凶猛的,所以从来也不会疏于戒备。"

"要是提心吊胆地去打猎,那还有什么意思。"头一位发言涉及这个话题的人针对泰山的意见说道。

得·阿诺听了这话不由得微笑起来,泰山见了狮子会害怕?不!

"我不太了解您所说的提心吊胆是什么意思。"泰山说道,"就像狮子一样,胆怯在不同的人眼中并不相同。至于我,在狩猎中我唯一的乐趣是知道我要狩猎的动物有能力伤害我,就像我也能伤害它一样。如果我去打猎,要带上几杆枪和扛枪的人,外加二三十个脚夫,浩浩荡荡去猎一头狮子,我看那狮子不用说也是难逃一死,而我对猎狮的兴趣也会因我的安全有保障而变得索然无味。"

"那么我可以理解泰山先生是宁愿只身只带一把刀去丛林里杀死一头兽中之王啦?"另一个人兴趣盎然,笑嘻嘻地带点嘲讽的口吻说道。

"还要一根绳子。"泰山正经地补充说。

恰好在这会儿,一头狮子低沉的吼声从远处的树林里传了出来,就好像要向泰山发出挑战一样。

"您的机会可来了,泰山先生。"这个法国人戏弄地取笑说。

"我不饿。"泰山简单地回答说。

大家听了都笑了起来。除了得·阿诺,只有他知道这是野生动物通过人猿泰山的嘴说出的一项简单而确切的理由。

"那么您也害怕了,就像我们大家一样。您打算光着身子,只带一把刀子和一根绳子就到树林里去吗?"那个好取笑的人说道。

"不!"泰山说,"那样做只是一次毫无理由的蠢事罢了。"

"那么五千法郎算个理由吧?"另一个人说道,"我愿意打个赌,在我们上面谈论的条件下,就是光身只带一把刀和一根绳子,您到丛林里是弄不回一头狮子来的。"

泰山看了得·阿诺一眼,点了点头。于是得·阿诺大声说道:"要打赌就赌一万。"

"好吧!一万就一万。"另一个人应声说道。

泰山站起身说:"那么我得把衣服放在我住处的外边,假如我白天回不来,晚上我总得穿着衣服好在大街上走嘛!"

"那么您现在不去,是要晚上去吗?"打赌的那个人叫了起来。

"为什么不?狮子多半晚上出来,所以晚上更好找到它们。"泰山回答说。

"不,"另一个人说,"我可不愿为打赌要了您的命,如果您要拖到晚上去,那可太冒险了。"

"那我现在就去。"泰山回答说。然后就回到屋子去拿了刀子和绳子。

大伙都陪他一直走到丛林的边上,在这儿泰山把衣服脱了放在一个小屋里。不过当他真要进入阴暗的灌木丛时,大家都试图劝阻他。特别是那个和他打赌的人,比别人更加坚持要他还是放弃莽撞的危险行动。他甚至说:

"我自愿承认您已经赢了,我宁愿付出一万法郎,只要您放弃这一愚蠢的尝试,它只会让您丢了性命。"

泰山听了却大笑起来。一转眼间泰山已经窜进丛林里,看不见了。大家站在林子边沉默了好一会,才转身慢慢走回饭店去。

泰山一进了树林,立刻就攀登到树上,带着一种兴高采烈的自由感,在树枝上向前荡去。

这就是生活!他是多么喜欢它。文明社会在那有限狭窄的天地里包含着多少的限制和陈规陋习,就连衣服也像是一种禁锢和妨碍,那时他觉得自己多么像一个囚犯。现在他终于自由了!他只要决定一转身,就可以回到海岸边去,然后就向南直奔他的丛林和那座小屋啊!

不过,这会儿他突然闻到了努玛的气味,因为他正是在下风头。于是他那双灵敏的耳朵立刻就竖了起来,在寻找那种熟悉的大爪子踏地和毛茸茸的身躯擦过灌木丛的声音。泰山悄悄地来到这头一点也没有觉察周围有人的野兽的头顶上,在树枝上腾挪着紧跟在它后面。直到它走到一处映照在月光下的小径上。那套过上百次野兽的绳扣一下子迅速而准确地套住了它那粗壮的黄褐色脖子。泰山把绳子的一头拴在一根坚固的树干上,趁着狮子拼命挣扎要逃脱的当口,从树上跳到狮子背后的地面上,跨到它宽阔的脊背上,用他长而尖利的薄刃刀,连着十来下戳进它的心脏。

现在,泰山一脚踏在努玛的尸体上,昂起头按照他的习惯发出了一声可怕的胜利的长啸!

有好一会儿,泰山在忠实于得·阿诺和返回他自由丛林的强烈欲望之间,摇摆不定。但是最后那张美丽的面颊和她那温柔双唇的印象,终于把他对昔日丛林生活梦幻的向往溶解掉,化作一缕轻烟消失了。于是,我们的人猿先生,还是把尚带着一些温热的努玛身体搁到肩上,又攀到树上,向回走去。

回到饭店,游廊上的一伙人还坐在那里,好长时间几乎都陷入沉默之中。他们试着想谈论些别的话题,但是,到丛林里去的泰山其实都在他们脑海里占了主要地位,所以他们的谈话总是跑题。

"我的老天!"打赌的那个人终于忍不住地叫出来,"我再也无法等下去了。我现在就要带着枪到丛林里去,把那个疯子弄回来。"

"我也跟你去！"另一个人说。

"还有我！""我！"好几个人众口一词地说道，就好像这个意见是一种咒语，突然驱散了笼罩着他们的梦魇。于是大家就都回到各自的住处，接着就武装齐备地一道向树林走去。

正在这时，泰山粗野高亢的吼叫声隐隐传来。

"上帝！这是什么？"这一伙人中的一个英国人说道。

一个比利时人应声说："我从前在大猩猩经常出没的地方，也听到过这样的吼叫。我的脚夫告诉我说，这是一头大公猿杀死一个对手后的胜利叫声。"

得·阿诺这时却想起来，克莱顿曾对他说过，泰山在取得胜利的杀戮后，也发出过类似这种可怕的吼声。他只好勉强露出微笑，不顾对这种声音引起的恐惧，而想到这种离奇的吼叫竟会出自人的喉咙——而且还是发自他朋友的嘴里。

当他们这一伙人最终走近树林的边沿，正在争论如何最好地分布他们的力量，却听到了附近一阵笑声，等他们一转身，却看到一个高大的身影，宽阔的肩上正扛着一头死狮子向他们走来。就连得·阿诺也吃惊地愣在了那里。因为，这么快就可以一个人追捕到一头狮子，而且单独将它的尸体扛在肩上，穿过浓密的灌木丛，在他看来简直是不可能的事。

大家一齐围上来，七嘴八舌地问着各种问题，可是泰山只是笑着表示，这实在算不了什么。这就好像对一个杀了一头牛的屠夫夸奖他的英勇一样，因为泰山曾为了食物和自我保护而进行过多次杀戮，所以这样的行动对他来说简直是小菜一碟。但他在这些只进行过集体围猎的人眼中，却真的成了不折不扣的英雄。

泰山意外地赢了一万法郎,而且由于得·阿诺的坚持,他全部都接受下来。对于泰山来说,这是一笔很重要的收入。泰山由此才开始体会到这一块块的小金属和纸片在人们手中传来换去的背后,竟关系到人们的衣、食、住、行、游乐和一切。

在猎狮的插曲之后不久,得·阿诺就租到了一只陈旧的帆船,可以沿着海岸航行到泰山的那个小港湾去。帆船起锚驶向大洋的那天早上,对他们两个人来说,无疑都是一个无比愉快的时刻。

他们一路顺风,很快就来到了小屋前的港湾里锚泊下来。第二天一早,泰山披挂上他全副的丛林武装,又带了一把铁锹,直奔大猿们集会的圆场地寻宝去了。

到了次日傍晚,泰山终于扛着那个大箱子回来了。第四天拂晓,他们的小帆船又缓缓地驶出了港湾口,向北方驶去。

又过了三周,得·阿诺和泰山已经是一艘开往里昂的法国轮船上的乘客了。到达里昂后,阿诺又把泰山带往巴黎。当然,泰山的本意是想直接就到美国去,但是得·阿诺坚持他必须先和他到巴黎去,泰山却不肯透露他迫切和必定要去美国的缘由。

得·阿诺首先要做的事之一,就是带泰山去看他的一个老朋友,一个警方的高级官员。得·阿诺很机敏地把话题一步一步地引向使泰山颇感兴趣的正在流行的一些逮捕和指认罪犯的方法上,而泰山在这些迷人的科学中非常有兴趣的是指纹学。

"可是,这些关于指纹的事究竟有什么价值?"泰山问道,"过了些年以后,手指组织上的那些纹路不是被磨光又换上新的了吗?"

"不，纹理是永远也不会改变的。"那位官员回答说，"从婴儿到老年，每个人的指纹只有大小的改变，除非损伤会改变指纹的'斗'和'簸'。但是，如果一个人两只手的十个指头都留下了指纹，那他除非把十个指头都毁掉才能逃避认证。"

"这太奇妙了。"得·阿诺不由得叫起来说，"我真想知道我自已的指纹是个什么样子。"

"我们马上就可以试试看。"这位警官回答说。接着他就按铃叫来一位助手，对他吩咐了几句。于是这位助手转身走出去，不一会就拿来一个硬木盒子，放在他长官的桌子上。

"喂！"警官说，"我们马上就可以有你们的指纹了。"

他从盒子里取出了一块方的平玻璃、一管浓墨汁、一支橡皮滚和几张雪白的纸片。他从墨汁管里挤出一滴墨汁滴到玻璃上，然后用橡皮滚把它摊开，直到在玻璃片上形成均匀的薄墨层。然后对得·阿诺说：

"请把您右手的四个手指头在玻璃上按一下，还有大拇指。好，现在照它们的位置不要改变地按在卡片上，不，稍微靠右一点，我们得给左手的五个指头留出点地方来。对，就是这儿。现在完全像右手一样把左手的指纹也留下来。"

"来吧！泰山，"阿诺做完了以后对泰山说，"让我们也看看您的指纹怎么样。"于是泰山也完成了他的指纹印迹，在操作中他不断地向警官提出了好多问题。

"指纹能显示种族的特征吗？"他问道，"例如，您能仅仅通过指纹确定指纹的主人是黑人还是高加索人吗？"

"我想不行。"官员回答说。

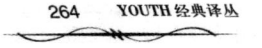

"能够从猿的指纹判别出它不是人的吗？"

"很可能,因为猿的指纹要比更高等的生物,譬如人的指纹简单得多。"

"但是,如果一个人和一头猿的混血儿,可能表现出他双亲的任一一方的特征吗？"泰山继续问道。

"是的,我想这很可能。"警官回答说,"但是,目前科学对这样的情况还没到能够达到确认的程度。我也不愿意相信科学可以比区别每个人不同的指纹特征走得更远。现在,可以绝对肯定的是,没有两个生到世界上来的人的指纹是完全相同的。而且,我们很难相信一个人的指纹可以由另外一个什么人加以复制。"

"做指纹鉴定需要很多时间吗？"得·阿诺问道。

"如果指纹清晰,通常只要几分钟就够了。"警官回答说。

得·阿诺于是从衣袋里拿出来一个小黑本,开始翻找着。泰山看了不觉惊讶起来,得·阿诺怎么拿的是他的小本子？现在,得·阿诺终于停在上面有五个小污点的一页上。然后他把这本打开的小本子递给了警官说:"您能说出,这些指纹是和我的相似还是和泰山先生的相似？能认定是我们中间的一个吗？"

警官从他的桌子里拿出一个放大镜仔细地查看这三份样本,时不时泰然地在一个小便笺本上记下点什么。泰山这会儿有点明白他们来拜访这位警官的意义了,原来他的身世之谜就藏在这些小黑点中。有好一阵他神情紧张地坐在椅子上,身体向前倾斜,注视着样本,但是后来他忽然又松弛下来,身体向后一靠微笑起来。得·阿诺看着他不由得颇为惊讶。

"你难道忘记了二十年来,那个留下这些指印的小婴儿,他的尸体就躺在他父亲的小屋里吗?"泰山有些痛苦地说道,"我的这半生都看见他躺在那里。"

警官听了也吃惊地抬起头来。

"请继续您的查验,警官先生。"阿诺说道,"如果泰山先生同意的话,我们随后会给您讲这个故事。"

泰山点点头表示同意,但却说道:"可是,你不是有点疯了吗?这些小指头明明已经埋葬在非洲的西海岸了。"

"我所理解的却并不是这样,我的朋友,"得·阿诺回答说,"您说的也许可能,但是您要不是约翰·克莱顿的后代,看在上帝的分上,您又是怎么来到那座天可怜见的丛林里的呢?那座丛林除了有过约翰·克莱顿的足迹以外,再没有其他白人到过呀!"

"你忘记了卡拉吗?"泰山说。

"我从来也没考虑它。"得·阿诺回答说。两个朋友一边说一边就走到宽阔的窗前,望着外面的大街,就这样他们看着下面繁忙的人群各自陷入了沉思。这时得·阿诺想到:大约比较指纹要花费一些时间吧!

可是让他吃惊的是,他转身却看到警官已经向后倚在椅背上了,聚精会神地看着小黑日记本的内容。当得·阿诺又转身回到窗前时,警官却说起话来:"先生们!"他说道。在窗前的两个人都转过身来。

"显然这里有很大的利害关系,在相当程度上取决于这次指纹比较的绝对正确。所以,我请求你们把整个资料留在我这里,以等待我们的专家德斯凯西先生回来。这也不过就是几天之内的事。"

"我希望马上就可以知道结果,"得·阿诺说,"因为泰山先生明天就要乘船到美国去了。"

"我担保两周之内您可以给他拍发一份报告结果的电报。"警官回答说,"但究竟会怎么样,我还不敢说。当然,这两组手印很相似,可是……我们最好还是把它们留给德斯凯西先生去确定吧!"

二十七
英雄再现

一辆出租车开到巴尔的摩郊区的一座式样古旧的住宅前停了下来。一个年约四十、体态匀称健壮的男士走了下来,付了车钱。打发掉出租车后,不一会儿他就走进这座老屋的书房里。

"啊!坎勒尔先生。"一位老年人站起来欢迎他说。

"下午好,亲爱的教授。"这个男人一面热情地伸出手问候道。

"谁接您进来的?"教授问道。

"爱丝米兰达。"

"那么她一定会告诉琴恩您来的事。"老教授说。

"不,教授,"坎勒尔回答说,"因为我来首先是要看望您。"

"啊!那可真是不胜荣幸。"波德教授说。

"教授,"罗伯特·坎勒尔极为慎重地继续说,好像对每一个词都要称称它的分量似的,"我今天下午来,是想和您谈谈琴恩的事。"

"您是知道我的愿望的,何况您还慷慨地答应过我的要求。"阿基米得·波德教授在他的圈手椅里,烦躁不安地听着。这个问题总是让他很不舒服。他不了解究竟是为什么,在他看来坎勒尔毕竟是一个很不一般的男士。

"可是琴恩小姐,"坎勒尔继续说道,"一会儿提出这么个理由,一会儿又提出那么个道理,我真是没法理解。我总有一种感觉,每逢我向她说再见的时候,她都如释重负地叹口气。"

"糊、糊、糊涂,"波德教授说道,"琴恩是个最听话的女儿。我对她说的话,她从不打折扣的。"

"那么,我仍然能指望您的支持了?"坎勒尔松了口气地问道。

"当然,先生,当然,先生,"波德教授宣称说,"您对此还要怀疑吗?"

"您知道还有年轻的克莱顿呢!"坎勒尔提醒说,"他在这儿已经转来转去几个月了。我不知道琴恩是否喜爱他,可是除了他有一个头衔,据说他还从他父亲那里继承到一大笔财产,他也许会最终赢得她的欢心,这也就用不着奇怪了。除非……"说到这里坎勒尔停了下来。

"糊、糊、糊涂,坎勒尔先生,除非什么?"

"除非,您让我和琴恩立刻结婚。"坎勒尔说得很慢却很清楚。

"我已经对琴恩说了,我们很希望她这样做。"波德教授伤心地说,"因为我们再也保留不起这所房子,也供应不起她按这里的社会标准生活了。"

"那么她怎么说呢?"坎勒尔问道。

"她说还不准备和任何人结婚,"教授回答道,"而且说我们家可以搬到威斯康星北部,到她母亲留给她的农庄去生活。那里的生计是很艰苦的，佃户们自己还要生活，所以，一年只能给琴恩提供有限的钱。她要我们在下周的头一天就到那里去。菲兰得和克莱顿先生已经到那里去给我们做预先的安排了。"

"克莱顿到那里去了吗？"坎勒尔显出懊丧的样子大声问道，"为什么没有告诉我？我会去安排得更舒适一些。"

"琴恩觉得我们欠您的太多了，坎勒尔先生。"波德教授说。

坎勒尔正要说什么，从客厅外面传来了脚步声，琴恩刚好走了进来。

"噢，请原谅！"她站在门口说道，"我还以为是您一个人在这里呢，爸爸。"

"不过还有我就是了，琴恩小姐，"坎勒尔站起来说道，"您不愿意进来参加家里人的谈话吗？我们刚好谈到您的事。"

"谢谢您。"琴恩只好走了进来，坐到坎勒尔给她搬过来的一把椅子上说道，"我只是来告诉爸爸说，托比刚从学院里回来，明天要收拾他的书了。我希望爸爸您能确定到秋天会干些什么事，好计划带哪些书。不要再像去非洲那次带上所有您这里的图书，我反对您把它们都带到威斯康星去。"

"托比现在在这儿吗？"教授问道。

"是的，我刚离开他，他这会儿正和爱丝米兰达在后面门廊里交流宗教的体验呢！"

"我得立刻就去找他！"教授说，"请原谅我，孩子们，我就去一小会儿。"然后，这位老先生就匆匆离开了。

波德教授一离开房间，坎勒尔就转身对琴恩说："啊，琴恩，"他直截了当地对她说道，"家里这些事已经进行多久了？您并没有拒绝和我结婚,可是您也没作出允诺。我想就去领取结婚证明,这样我们就可以在您到威斯康星以前悄悄地把事情办了。我不想张张扬扬地办事,我想您也一样吧!"

琴恩立刻变得冷峻起来,但是她仍然毫无羞怯地扬着头听下去。

"我们的事,令尊大人是同意的。这您知道吧?"坎勒尔补充说。

"是的,我知道,"她的声音不高,刚刚让坎勒尔听得到,"可是你明白你这是在购买我吗?"她终于用冷漠而平淡的声音说出了这句话。

"用一笔微不足道的小钱来购买我,不是吗?当然啦,你就是这样做的。罗伯特·坎勒尔,当你借钱给我父亲去干那件荒唐的事情时,你脑子里就产生了这种想法。而且你也明白要不是有奇迹出现,我父亲要做的那件事是不会成功的。可是,坎勒尔先生,您是一位太会算计的商人,在你看来,这次寻宝冒险根本就没有成功的可能,你借钱给家父,除非是为了另外的目的。

"你当然明白,你获得了以波德家的声望为抵押的保证。你也知道偿还的最好方式,就是强迫我和你结婚,表面看来你什么也没强迫我。

"你从来也不谈借款的事,如果换了别人,我会认为他是一位宽宏大量的君子,但是您可不是,您是一位城府很深的人!罗伯特·坎勒尔先生,我对您的了解比您对我的了解可要清楚得多。

"要是再没有其他的路可走,我肯定只好和你结婚,不过现在还是让我们彼此彻底地了解一下！"

当琴恩说这一大堆话的时候，罗伯特·坎勒尔的脸一会儿红一会儿白。等她说完，他站起来，脸上带着一丝无可奈何的微笑说道："您吓着我了，琴恩小姐。我还以为您能更坚强，更骄傲一些呢！当然您是对的。我是在购买您，我知道您知道这一点，不过我以为您会假装着好像不是这样。我曾经想到您的自尊心和波德家的骄傲，会让您怯于承认这一点，即使对您自己也不例外，也就是说承认您是一位被卖了的女士。不过，尽管走您的路好了，亲爱的姑娘，"接着他又轻轻地加上一句，"我可是一定要把您弄到手，这是我最感兴趣的事。"

我们的琴恩小姐一句话也没有说，愤然地离开了房间。

琴恩并没在她和她父亲以及爱丝米兰达动身到威斯康星农庄以前结婚。不过，在火车开出之前与坎勒尔冰冷地道别时，他告诉她一两周之后，他会到农庄去和她见面。

当他们到达目的地以后，菲兰得先生和克莱顿开着一辆农民的大旅行车来接她们。而且他们很快地穿行过一片浓密的树林来到琴恩小小的农庄上，这里是她自从童年离开以后，再没有回来过的地方。

农庄的小别墅在一处小高地上，距佃户们的屋子约有几百码。在菲兰得先生和克莱顿来到的三个星期里，这里已经过一番彻底地整修。

农民帮着从远处的一个城市里找来一小队木工、泥瓦工、管道工和油漆工。在他们到来时，这里还不过是一堆破旧棚屋一样的旧别墅，如今它在不长的时间内，已经变成了一座两层楼，并有各种现代方便设备的住所了。

"哎呀,克莱顿先生您做了多少事情啊?"琴恩·波德大声说道。她一看到这样花费不菲的装修,她的心不由得沉重起来。

"嘘,"克莱顿提醒道,"不要让你父亲猜到,你不说他是不会注意到的。我无法想象让他居住在一所可怕的肮脏破烂房舍里,像我和菲兰得先生刚来时看到的那样。它比我愿意做的要少得多,琴恩,为了老人,请您再不要说起这件事了。"

"但是,您知道我们是还不起您的钱的。"小姐大声说,"您为什么要把我推到这样一个负恩的尴尬处境?"

"不要这样琴恩,"克莱顿难过地说,"如果仅仅是为了您,请相信我,琴恩,我就不这样做了。因为我从一开始就知道,我这样做只会在您眼里降低我的形象。可是,我实在无法想象我们的老先生,怎么能住在我们看见过的破洞里。也请您能不能相信我,我做的这一切仅仅是为了他,请给我这一点小小的乐趣吧!"

"我当然会相信您,克莱顿先生"小姐说,"我了解您的慷慨大方和仗义,您完全只是为了他才这样做的,可是,啊!西塞尔,我多么想能报答您,就像您希望的那样。"

"您为什么不能,琴恩?"

"因为我爱着别人。"

"是坎勒尔吗?"

"不。"

"可是,您不是要和他结婚了吗?他在我离开巴尔的摩以前就告诉了我这件事。"

琴恩吃了一惊。

"我不爱他。"她带着一些骄傲地说。

"那么是为那笔钱了,琴恩?"

她点点头。

"那么,我是不是比坎勒尔更理想一点?我有足够的钱,甚至更多,能满足您的任何需要。"克莱顿不无痛心地说。

"我不爱您,西塞尔,"琴恩说,"但是我尊敬您。要是自己非得用我跟谁做一笔交易的话,那我宁肯选一个我鄙视的人。我将诅咒他,那个购买我却得不到一点我的爱情的人,而不管他是谁。您有我的尊敬和友谊,比有我的轻蔑会更幸福一些。"

克莱顿并没有勉强使事情更进一步,但是如果有一个男人心怀杀念的话,那这个男人就是威廉·西塞尔·克莱顿·格雷斯托克爵士,特别是当罗伯特·坎勒尔开着他的六缸汽车呜呜叫着来到农庄的时候。

一个星期过去了。紧张却又平淡,让威斯康星农庄里每一个居民都觉得不舒服的一周。

坎勒尔还是坚持琴恩应该立刻就和他结婚。

最后,琴恩还是对不断的纠缠让步了,虽然怀着憎恨和厌恶。她同意明天坎勒尔就动身回城里去办理登记许可和请牧师来。

克莱顿本来是想,等琴恩和坎勒尔结婚的计划一宣布他就走。可是琴恩疲倦的万分失望的样子又使他留了下来。他不能就这样丢下她。

有什么事就要发生了似的,他试着用反复的思考去安抚自己。他清楚地知道,他的心中充满对坎勒尔憎恨的火种,只要燃起一点小小的火花,这火种就会立刻变成流血的仇杀。

第二天一大早坎勒尔就动身到城里去了。

在东边远处,树林上面飘起了一层黑烟,在那里林火已经烧了一个星期了。只是风向一直是西风,对这里还没有构成威胁。到了中午,琴恩出去散步了。她不想让克莱顿陪她,克莱顿也就听从了她的意见。在屋子里波德教授和菲兰得正陷入一场专心致志的什么重要的科学问题的讨论;爱丝米兰达在厨房里也忙来忙去地干着她的营生;克莱顿因为晚上没有睡好,这会儿正靠在起居室的长沙发上,迷迷糊糊地打着盹。

在东方,黑色的烟云已经直向天空高高升起。突然它转变了方向,然后迅速向西方飘了过来,并步步逼近。因为今天是赶集的日子,所以没有人发现迅速烧过来的火势。很快烈焰穿过了南面的道路,切断了坎勒尔的归路。又有一小股风把林火卷向北面,然后,它又烧了回来。这时火苗忽然停住了,好像被什么有力的手用皮带把它们拴在了那里。

突然,一辆黑色大轿车在大路上歪歪斜斜地从东北方向急驶而来,猛地一跳停在了小别墅的前面。从车里跳下来一位大个子,直跑上了门廊,连停也没有停,就跑进了房子里。他看到克莱顿还昏头昏脑地睡在长沙发上,不免有些吃惊,一步就蹿到了这个睡着的人身旁,猛烈地摇着他的肩膀大叫着说:

"我的老天!你们都疯了吗?你们就不知道你们快被大火包围了吗?波德小姐在哪里?"

克莱顿一下子跳了起来,冲向门廊。

"斯考特!"他大声喊道,然后又冲到后房里去,"琴恩!琴恩!

你在哪儿？"

不一会儿，爱丝米兰达、波德教授和菲兰得先生都和这两位男士凑在了一起。

"琴恩小姐在哪儿？"克莱顿一面大声喊道，一面抓着爱丝米兰达的肩膀摇着。

"噢！我的老天爷。她不是出去散步了吗？"

"她没有回来吗？"连回答都来不及听，克莱顿就冲到院子里。其他人也都跟了出去。

"她从哪条路走的？"黑头发的大个子问道。

"就从这条路走下去的。"吓坏了的女佣指着向南的一条已经被浓烟封闭的道路回答说。这时前面已是烟雾迷漫什么也看不见了。

"把这里的人都带到那辆车上去！"这个陌生的大个子对克莱顿喊道，"我刚开着车来时，好像看到过一个人。现在，把这里的人都从北面的路带出去。把我的车留在这里，如果我能找到琴恩小姐，我们就会需要它。如果不能，那就什么人也用不着它了。就照我说的去做吧！"

还在克莱顿犹豫不决的时候，人们就看到一个灵巧的人影奔跳过空地向西北方向跑去。那里的树林还是宁静地竖立着，没有被林火烧着。留在这里的人此时肩上都有一种不可名状的责任感，深信这个陌生人会救出琴恩，如果琴恩还能获救的话。

"那个人是谁？"波德教授问道。

"我不知道，"克莱顿回答道，"他能叫出我的名字，他也叫得出琴恩的名字，问她在哪儿？而且他还能叫出爱丝米兰达的名字。"

这时,菲兰得先生忽然叫起来说:"我觉得他身上有什么我非常熟悉的东西,可是现在我却一点也想不起来在哪儿见过他了。"

"糊、糊、糊涂,"波德教授大声说,"真是不可思议!他能是谁?而我为什么会觉得琴恩会是安全的,那么他已经去找琴恩去了吗?"

"我说不清,教授,"克莱顿有点哭腔地说道,"但是我和您一样有一种离奇的感觉。不过,快点吧,我们得赶快离开这儿,否则我们就走不出去了。"

然后,他们这一伙人就都匆忙地向克莱顿的汽车跑去。

当琴恩转身要循她的来路回家时,她大吃一惊地发现树林燃烧的浓烟,竟滚滚直逼她而来。她再向前走时,更发现林火早已截断了她回到别墅去的道路。最后她只好被迫转身走向一片浓密的灌木丛,想勉强通过这里向西绕过林火,回到别墅里去。可是没有多大一会儿,她就明白这一尝试是毫无效果的。于是她又把希望寄托在回到原路上,从南面向城里逃命。

她抄着近路向回跑,就像她来时抄近路一样,只用了二十分钟,她就回到原路上来了。可是当她三步并成两步踏到原路上时,眼前面对着的另一堵火墙,竟然把她吓得呆在了那里。火场伸出了一支无情的爪子,从南面大约半英里的地方封锁了这条小径。

现在琴恩知道从这里的灌木丛冲出去也是没用的了。她刚刚向西冲了一次,这会儿她已疲惫不堪。而且她也明白南北之间

人猿泰山·泰山出世　　277

的这一片空地,用不了多一会儿也会烈焰飞腾起来。琴恩这一刻清醒地跪倒在小路的尘埃之中,乞求上苍给予她勇气去面对自己的宿命,企盼她的父亲和朋友们能逃出火海。

突然她听到了从树林里传来大声呼喊她名字的声音。

"琴恩!琴恩·波德!"听起来是那样清晰而响亮,只是声音有点陌生。

"这儿!"她用力大声回答道,"这儿!在路这儿!"

然后,她看到一个人在树上荡了过来,像松鼠那样敏捷。

就在这会儿,突然风向一转,一团浓焰向他们这里扑来。琴恩连看也来不及看,就被这个飞速向她跑来的男子强有力的胳膊挟了起来。她被带着向前走的时候,只觉得有风声呼呼地扫过和有时擦过树枝的感觉。

琴恩这时睁开了眼睛。

在她下面,她看到了一丛丛灌木以及坚硬的土地,在她上面是摇摆的树林的枝叶。

大个子带着她从一棵树向一棵树荡了过去,对于琴恩来说,好像她在梦境里又回到了非洲的丛林。

噢!如果不是那个从前曾带着她迅速穿过青葱草木的同一位男子,又能是谁呢?但这几乎是不可能的!可是在这个世界上又有另外的什么人能有这样的力气和技能做出同样的事吗?

"我的丛林男士!"她低语着,"不,我大概是神志不清了。"

"不,就是你的人,琴恩·波德。你的野人,原始人,从非洲丛林里出来,要领回从他身边溜走的女人。"他不无讽刺地说道。

"我不是溜走的,"她小声说道,"我同意离开仅仅是因为大家已经等了你一个星期还不回来。"

现在他们已经走出了火区,来到一块空旷地。这会儿正肩并肩地向小别墅走去。此时,风又转了向,火势又烧了回去,如果继续这样下去,火势很有可能在这附近熄灭。

"你为什么不回来?"她问道。

"我正看护得·阿诺。他的伤势很重。"

"啊,我明白啦!"她大声说,"他们说你是回到黑人那里去了。据说他们是你的人。"

大个子听了不由得笑起来说:"你当然不会相信他们说的话了,不是吗,琴恩?"

"是的,那么我该叫你什么?你的名字叫什么?"她问道。

"从你头一次见到我的时候,我就叫'人猿泰山'。"他说。

"人猿泰山!"她叫了起来,"我离开时,写的字条就是答复你的呀!"

"是的,不是我还能是谁?"

"我不知道,只是最不可能的就是你,因为人猿泰山能用英文写,而你却连任何语言都不会说。"

他再一次笑起来。

"这可是一个很长的故事,但是那绝对是我,是在我还不会用语言只会用文字时写的。而现在得·阿诺却把事情弄得更糟了,他教会了我说法语却不是英语。"

"快,"他跟着说道,"快跳进我的车里来,我们必须赶上你父亲,他们就在前面不远。"

当他们开着车向前走时,他继续问道:"那么你在给泰山的纸条里说,你爱另外一个人,你可能是指我吗?"

"我可能是……"她简单地回答道。

"可是在巴尔的摩……噢,我是多么费事地在找你,他们告诉我,你现在可能已经结婚了。那个叫坎勒尔的人已经到这里和你举行婚礼来了。这是真的吗?"

"是。"

"你爱他吗?"

"不。"

"你爱我吗?"

她双手捂着脸说:"我已经答应了别人。我无法回答你,人猿泰山。"她哭了起来。

"你已经回答了。那么现在告诉我,你为什么要嫁一个你不爱的人。"

"我父亲欠他的钱。"

泰山这时忽然想起来他读过的那封信以及罗伯特·坎勒尔的名字和当时他无法弄懂的那信中所提到的麻烦,他微笑了。

"如果你父亲并没有丢掉那批财宝,是不是你就不必非要保持对坎勒尔这个人的承诺了?"

"我可以要求他解除我们的婚约。"

"要是他拒绝呢?"

"我已经答应过他了。"

他沉默了有一会儿。汽车以横冲直撞的速度在一条不平的路上颠簸着,因为火势一直在他们的右侧威胁着他们。如果风向一转,就会截断他们的逃路。

最后他们终于冲出了险区。泰山也减低了他的车速。

"假如我向他提出要求呢？"泰山大胆地问道。

"他很难答应一个陌生人的要求。"女士说，"特别是一个想要得到我的人。"

"就像对付大猿脱克那样。"泰山露出了狞笑。

琴恩不由得惊悚起来，恐惧地看着坐在她旁边这个高大的人，她知道他的意思是指为保护她而杀死的那头大猿。

"这里不是非洲丛林，"她说，"你也不再是野蛮人，你现在是一位绅士，而绅士不能冷酷地随便杀人。"

"我内心还是像野兽一样。"他低声说，就好像自言自语一样。

然后他们都不再说话了。

"琴恩，"最后我们的大个子还是说话了，"如果你能自由的话，你愿和我结婚吗？"

她并没有立刻回答他，他也在耐心地等待着。琴恩努力地在集中起她的思路。她对这个坐在她旁边的陌生人究竟知道多少？他对他自己知道多少？他是什么人？他的父母是谁？嗯，他独特的名字反映出他的出身和他野蛮的生活。他没有姓名。她能跟这样一个野蛮的丛林流浪者生活吗？她能和一个生活在非洲荒原树顶上的丈夫找到多少共同点吗？他和大猿们嬉戏战斗在一起，从刚刚猎获的动物身上撕肉吃，当他的同伙一边还在咆哮着与他争食的时候，他就会把牙齿插进生肉里扯走他的那一份，就是这样的一个人，她能和他共同生活吗？

他能够提高到她的社会圈里来吗？她能忍耐使自己降低到

他的生活圈子里去吗？他俩能从这样一桩可怕的不相称的婚姻中得到幸福吗？

"你没有回答我，"他终于说道，"你怕伤害我吗？"

"我不知道怎么回答你好，"琴恩有些难过地说，"我弄不清我脑子里想的是什么。"

"那么，你不爱我了吗？"泰山以一种平静的声音问道。

"不要问我这个问题。你没有我会更幸福的。你不是指正式的约束和社会上老一套的惯例吧？……文明会使你变得很讨厌的。没多久你就会盼望过从前的自由自在的生活，一种对我来说完全无法适应的生活，就像你无法适应我的生活一样。"琴恩一口气说了出来。

"我想我懂得你的意思了。"他平和地回答道，"我不会强迫你的，因为我宁肯看到你幸福，那比我自己幸福更好。我明白你目前和一个人猿是不幸福的。"

在他的声音里恰恰隐含着一点痛苦的味道。

"哦！请不，"她劝说道，"请不要这样说。你还不明白。"

但是，在她还没能继续说出下面的话时，道路突然一拐，他们到了一座只有几户人家的小村子里。在他们的前面正好停着克莱顿的车子和他从小别墅里带出来的一伙人。

二十八
未完的结局

大家一看到琴恩，人人嘴里都发出松了一口气的兴奋欢叫。当泰山的车子停在人们身边时，波德教授就把他的女儿搂在了怀里。

有好一会儿，没人注意到泰山，他就静静不出声地坐在他的车里。

克莱顿第一个想起了他，向他伸出了手："我们怎么感谢您才好？"他大声说，"你救了我们大家。您在小别墅就叫出了我的名字，可是我却叫不出您的大名，尽管我们好像很熟悉您。好像在好久以前，一个完全不同的环境下我认识了您。"

泰山微笑着拉住了那只伸出来的手说："您说得完全对，克莱顿先生，"他用法语说道，"要是我不用英语和您说话，请您原谅我。我正在学习它，尽管我能听懂它，却说不好。"

"可是，您是谁？"克莱顿坚持问道。这一回他也用了法语。

"人猿泰山。"

克莱顿不由得吃惊地跳了起来。

"老天爷！"他大叫起来，"这是真的!？"

接着波德教授和菲兰得先生也挤了过来，和克莱顿一道向泰山表示感谢,并七嘴八舌地表示惊讶和欣喜,表示终于看到了他们这位丛林老友竟远离家乡来到了这里。

现在,他们这一伙人走进了一家朴素的旅馆,克莱顿很快为大家安排了住宿事宜。

他们正坐在这里的一间小而闷热的起居室里时,外面响起了一阵汽车声。坐在窗边的菲兰得先生向外一看,看见了一辆才停下来的车子。

"天保佑!"菲兰得先生声音里带着忧郁的烦恼说,"是坎勒尔先生,嗯……要是他赶上那场大火,我们可真是高兴……"他的话说了一半就咽回去了。

"糊、糊、糊涂!菲兰得先生,"波德教授说道,"我总是告诉我的学生,数十个数以后再发表什么意见。而我要是你,菲兰得先生,我宁愿最少数一千,或者保持谨慎的沉默。"

"天保佑,是的!"菲兰得先生说,"但是那个好像是牧师的绅士是谁?"

琴恩的脸一下子变得苍白起来。

克莱顿在他的椅子里不安地转着身子。

教授波德神经质地扶着他的眼镜,一会儿又拿下来向它哈气,却连擦也不擦又戴了上去。

无处不在的爱丝米兰达不知在咕噜着什么。

只有泰山一点也不了解出了什么事。

这会儿罗伯特·坎勒尔突然来到房子里。

"谢天谢地!"他大声说,"直到我看见你的车我才放心。我原来害怕事情还要糟,克莱顿先生。我被林火挡在了南面的路上,只好开车绕回城里去,然后向西赶到这里来。我想我们最好是别回小别墅去吧!"

没有人对他的话表现出热心的样子。泰山用眼睛盯着坎勒尔,就像猎豹盯着它的猎物一样。

琴恩注意到了他的样子,神经紧张地不住咳嗽。

"坎勒尔先生,"琴恩终于忍不住说道,"这是泰山先生,一位老朋友。"

坎勒尔转身伸出了他的手。泰山站了起来就像阿诺曾经教他的,像一位绅士那样弯了弯腰,但对坎勒尔伸过来的手却看也不看。不过坎勒尔也没有在意这一点。

"琴恩,这位是尊敬的托司雷先生。"坎勒尔说道,转身对着他带来的牧师样子的人介绍:"托司雷先生,这位是波德小姐。"

托司雷微笑着鞠了个躬。

坎勒尔又把他介绍给了其他人。

"我们可以现在就举行婚礼,琴恩,"坎勒尔自信地说,"然后,我们两人可以赶半夜的火车到城里去。"

泰山立刻就明白了这个计划。他眯缝着眼睛盯着琴恩,却没有动。

琴恩迟疑起来。整个房间都陷入神经紧张的状态中似的。

所有的眼睛都转向琴恩,等待着她的回答。

"我们可以再等些天吗?"她问道,"我太筋疲力尽了,今天我经历的事太多啦!"

坎勒尔此时已经能感觉出,屋子里其他所有人的敌意。他不由得生起气来。

"我们已经等了我尽可能等的那么长的时间了。"坎勒尔粗鲁地说道,"你答应跟我结婚,我再也不想跟你逗着玩了。我已经领了证书,这里又有牧师,那么来吧,托司雷先生,这里有好多见证人,足够用了。"他突然变得粗暴起来,一把抓住了琴恩的胳膊,拉着她要走向等在那里的牧师那儿去。

可坎勒尔还没迈出头一步,一只有力的大手像铁钳一样钳住了他一只胳膊,而另一只手直朝他的喉咙叉去。只一转眼他就像老鼠遇见猫一样,被抓得悬空了。

琴恩大吃一惊,吓得转身向泰山跑去。当她抬头看着泰山的脸时,她清楚地看到了他额头的那道绷起的红疤。这是在遥远的非洲,那天人猿泰山与大猿脱克进行生死博斗时她看见过的。她知道这时在他的心里充满了杀机。她恐惧地惊呼了一声,跳过去恳求人猿泰山。不过,她的恐惧倒并不是为了坎勒尔,而是在于泰山。她清楚地知道法律对杀人者是无情的。

在琴恩还没到他们身边时,克莱顿已经跳到泰山身旁,想把坎勒尔从他手中拉出来。可是人猿只用了腾出来的一只手臂一挥,克莱顿已经从房子一边被推到另一边去了。这时琴恩正好用她雪白的手臂抓牢泰山的腰部恳求说:"为了我,求求你。"

掐着坎勒尔喉咙的手松了开来。

"你要这个东西活吗?"他惊奇地问道。

"我不愿他死在你的手里,我的朋友。"她回答说,"我更不愿意你成为一个杀人犯。"

泰山把掐着坎勒尔喉咙的手放了下来。

"你愿意解除与她的婚约吗?"他问道,"这也是换你狗命的代价。"

坎勒尔好容易喘出一口气,点点头。

"你现在就从这儿滚开,以后再也不能骚扰她!"

我们的这位想做新郎没做成的先生,无可奈何地只有点头。他的脸由于刚才面临的死亡威胁,已经吓得面如死灰,扭曲变形。泰山把他放了开来,他脚步踉跄地向门边走去。刹那间坎勒尔就带着他那位牧师抱头鼠窜而去。

这时,泰山转身对琴恩说道:"我能单独跟您说几句话吗?"

琴恩点了点头,开始向通向旅馆走廊的那道门走去。

她已经走到外面去了,所以没听到接着发生的对话。

"等一等,"当泰山就要跟出去时,老教授波德说话了。他被刚才几分钟内迅速发生的事吓呆了,现在又回过神来说道,"在我们走之前,先生,我想听听您对刚才发生的事的解释。您有什么权利,先生,插进我女儿和坎勒尔之间,横加干涉?我已经答应把她嫁给他,不管我们喜欢不喜欢,当初的约定还是要遵守的。"

"我的干涉,波德教授,"泰山回答说,"是她并不爱坎勒尔,她也不想和他结婚。我知道这些已经足够了。"

"你不知道你干了些什么,"波德教授说,"这一下他无疑要拒绝和她结婚了。"

"那是可以完全肯定的。"泰山强调说。

"而且更进一步说,"泰山继续道,"您也用不着害怕您的身份面子会受到损害,波德教授,因为从您回到家里的那一天起,您就有能力偿还坎勒尔那个家伙的一切债务了。"

"糊、糊、糊涂,你说的是什么意思?"教授大声说。

"你的财宝已经找到了。"泰山说。

"什么？你说什么？"教授大叫起来，"你这个人疯了吧！这怎么可能?！"

"虽然有些不可信，但这是事实。是我把它们弄走的，我当时既不知道它们的价值，也不知道它们是属于谁的。我看见水手们把它们埋藏起来。就照着大猿的习惯，把它们另换一个地方埋了起来。当得·阿诺告诉我它是什么，它对你们有什么意义时，我就又回到丛林里找到了它。因为它引起过那么多的罪恶，那么多的不幸和痛苦，所以得·阿诺建议最好不要把财宝直接带到这里来，就像我原来想的那样，所以我就带来一份信用状。"

说着泰山就从口袋里拿出来一个信封，递给了目瞪口呆的波德教授说："就在这儿，教授先生，二百四十一万美元的票据。那些财宝是经过专家仔细评估过了的，但是恐怕您本人对这份财宝还有什么意见、想法，所以得·阿诺亲自暂时买下了这笔财宝，而且为您保管着，您是要这批财宝，还是接收这张信用状，都随您的便。"

直到看清了那张票据，波德教授好像才从噩梦中惊醒了一样声音颤抖地说道："在我们全体对您的救命之恩尚未报答万一之时，您又给我们带来如此大的恩惠，您还给我找到了保全我信誉的途径。"

刚才随着坎勒尔出去了一会儿的克莱顿，这时又回到房子里来。

"请原谅我，"他说，"我认为我们最好在天黑以前能到城里去，以便赶上头班车离开林区。一位当地人刚才骑马来报告说，林火正缓慢地向这个方向烧了过来。"

这一宣布引起了进一步的谈论。结果是大家都来到停在外面的汽车边。

克莱顿和琴恩，教授和爱丝米兰达都坐进了克莱顿的车里。同时泰山却和菲兰得先生坐进了他的车里。

"上帝保佑，"当车子随着克莱顿的车子驶出后，菲兰得先生大声说，"谁能想得到这是可能的！上一次我看见您时，您还是一个不折不扣的野人。在热带非洲丛林的树枝上荡来荡去。而现在您却开着一辆法国车，带着我奔驶在威斯康星的公路上。我的老天，这真是不可思议。"

"是的。"泰山同意说。然后，停了一会他又问道："菲兰得先生，你能回忆起在非洲丛林边我的小屋里发现并埋葬那三具骷髅的细节吗？"

"那是非常清楚的事，先生，非常清楚。"菲兰得回答说。

"关于这三具白骨，有没有什么反常的情况？"泰山问道。

菲兰得眯细了眼睛看着泰山不解地问道："您问它干什么？"

"我要了解它，因为它对我有重要的意义。"泰山回答说，"您的回答可能会澄清一件秘密。无论如何，它不会使事情更糟，至少不至于使它再保密下去。过去的两个月，涉及这三具骷髅，我心中一直有一种想法，我希望您能凭借您的知识回答我的问题。您掩埋的这三具骷髅都是人的吗？"

"不！"菲兰得先生说道，"那具最小的，也就是在摇篮里发现的那一具，是一具类人猿的骷髅。"

"谢谢您！"泰山长出了一口气说道。

人猿泰山·泰山出世

在前面的那辆车里,琴恩的思想正进行着激烈的斗争。她明白地感觉到泰山问她那几个词的目的。她也知道在不久的将来,她就要准备给他一个答复。他不是那种可以随便搪塞一下的人。而且这种想法多少让她弄不清她是否对他有点恐惧。那么,她能爱上一个使她害怕的人吗?她体会到曾经在遥远丛林中那种神秘的魅力,在现实的毫无诗意的威斯康星却丧失了他特有的迷人之处。而且,现在这位纯洁的法国年轻人,也没有像在原始丛林里那样把她看作是一个原始女人,他自己也不再是一个丛林里高大的神人。她爱过他吗?至少现在她有点弄不清楚。

她用眼角扫了一下克莱顿:坐在旁边的这个人不是和她在同样的环境下受过学校的教育吗?一个具有社会地位和文化素质等基本要求,按她以往的理解,不都是可以考虑与之交往的人吗?她的良知不正是指向这位年轻的贵族吗?她理解他的情爱正是一个文明妇女所需要的那种情爱。而且,对她自身来说他不正好是一个逻辑上恰如其分的对象吗?

她能爱上克莱顿吗?她看不出有什么理由她不能。琴恩并不是一个天生工于心计的人,而是一个由教养、社会环境和遗传所培育出来的有理性的人。即使涉及灵感情爱上的事也是如此。

曾经使她兴奋狂喜的那位高大的年轻人的膂力,不论是在遥远的非洲丛林,还是在今天威斯康星树林里那只围抱着她的异性大手臂,对她来说似乎都是由于一时精神上的返祖现象在她身上的表现,就像一对原始男女天生的心理要求一样。

要是他不再和她发生接触,按她理智的分析,他也许对她不再有什么吸引力,她也许就不再爱他了。这件事也不过就是一时过分的感情冲动罢了。

一时的冲动并不足以确定他们永久的关系。要是她真的嫁给他,当时那种身体接触的新奇感,最终会被日久的熟悉磨得淡漠下去。

琴恩想到这里,不由得又看了一眼坐在她旁边的克莱顿。他毕竟是一个漂亮而且通体都够得上标准的文雅之士。她似乎应该对有这样一个丈夫感到骄傲。

就在这个关键时刻,他说话了。快一分钟或者慢一分钟就会使这三个人的生活完全不同。但是,现在机遇却对准克莱顿走来,有那么一刹那就像是有人给了他一个心理上的暗示。

"您现在是完全自由了,琴恩,"他忽然说道,"不知您愿不愿答应我全身心地投入到使您终身幸福之中。"

"我答应。"她小声地说。

这一天的傍晚,在车站的候车室里,泰山正好也是一个人单独遇见了琴恩。

"您已经完全自由了,琴恩,"他说,"我已经从一个粗野的人走过了漫长的蒙昧时期来追求您。为了您,我已成为一个文明人,也是为了您我穿过大洋和大陆,为了您我愿意成为您要我成为的随便什么人。我可以在您熟悉和喜爱的生活中使您幸福。您愿意嫁给我吗?"

琴恩第一次体会到这个男人深沉的爱。所有他努力在这样短的时间内完成的事,都是为了对她的爱,仅仅是为了对她的爱。她一下子转身用双手捂住了自己的脸。

她干了些什么样的蠢事?只是为了害怕自己随便屈从于这

个高大男子的要求，就做了一件顾前不顾后的事。在她还没有对事情作出深刻理解时就已犯了可怕的错误，她已经做了一件最糟糕的事。

她只好一一告诉泰山全部的事实，丝毫也不掩饰她的过错。

"那么，现在怎么办？"他问道，"你曾经答应过你爱我。你也知道我爱你，只是我不懂你所处的社会道德的约束是什么。我只能把最后的决定权留给你，因为只有你最知道你最终的幸福是什么。"

"我无法对他说，泰山，"她回答说，"他也是爱我的，而且他也是一个好人。如果我立刻抛弃我曾经答应克莱顿先生的话，我就没脸再见你和别的诚实的人，我只能维持我的诺言。你得帮我去承受这一负担，尽管今晚以后我们也许再也没机会见面了。"

就在这时，克莱顿撞进房里来，而泰山只好转身走到小窗那里去。但是他并没有看见外面的任何事物。他能看见的似乎只是被美丽热带植物和花朵环绕的一片如茵的草地。在它上面有摇曳的树叶和如伞覆盖的大树浓荫。最上面还有湛蓝的赤道青天。在绿茵般的草地中央稍高的土岗上坐着一位年轻妇女，她的旁边坐着一位年轻的高大男人。他们吃着可口的果子，彼此含情脉脉地注视着，他们感到如醉如痴般的幸福，而且在这个世界上似乎只有他们两人似的。只是这难忘的如烟般的往事，如今却只在幻觉之中。

这时泰山的思绪突然被走进来的车站报务员打断。他询问这里的人中是否有一位叫泰山的绅士。

"我就是泰山先生。"我们的人猿说道。

"这里有您的一封电报,是从巴尔的摩转来的一封来自巴黎的电报。"车站报务员说道并递给他一个信封。

泰山打开了电报,它是得·阿诺发给他的。上面写着:

指纹证明您就是小格雷斯托克,谨致祝贺!

得·阿诺

当泰山悄然地读完了这封电报时,他什么也没有说。这时对此浑然不知的克莱顿,正好走过来向他伸出了手。

这就是那个冒了泰山头衔的人,冒占了泰山财产的人,而且就要和泰山所爱的女人结婚,而这个女人也是爱过泰山的。泰山只要说一句话就会使这个人的生活彻底变个样——那将夺走他的头衔,他的地产,他的城堡,可是这也等于是从琴恩·波德那里拿走这一切。

"我说,老朋友,"克莱顿大声说,"我一直没有机会好好谢谢您,谢谢您为我们大家所做的一切。好像您天生就是慷慨地在非洲和这里来救助我们的。我真是说不出来地高兴您又来到这儿。我们一定要好好认识一下。我经常想到您,还有您那不可思议的生活环境情况。如果我能问一下的话,究竟是什么鬼东西把您弄到那个倒霉的丛林里去的?"

"我是在那儿出生的,"泰山平静而冷漠地说道,"我的母亲是一只大猿,当然她无法告诉我更多的事。我从来也不知道我的父亲是谁。"

泰山就这样把他的秘密和极度的悲凉隐藏在自己的心里。